JN094269

ドイツ見習え論が日本を滅ぼす

メルケル後の迷走でEU大波乱!?

豊田有恒×川口マーン惠美

ビジネス社

まえがき

耳を疑った。豊田有恒氏と対談？　ＳＦ作家の草分け？　推理小説の大御所？　エッー？　私は、ＳＦも推理小説も読まない。読もうと思ったこともない。いくら何でもミスマッチだ！

そこに、ビジネス社より参考資料として手渡された豊田氏の著書が数冊。家に帰り、最初に開いてみたのが『日本ＳＦ誕生——空想と科学の作家たち』（二〇一九年出版）。中身は、一九六〇年代のＳＦ誕生秘話。つまり、日本にそれまで存在しなかったＳＦというジャンルを作った作家たちの、情熱というか、苦闘というか、涙というか、連帯感というか、要するに、波乱万丈の物語だ。

ページを繰ると、彼らＳＦ小説のパイオニアたちが、昭和の日本でどんな暮らしを送り、何を考え、誰に恋をし、どんな作品を描き、喧嘩し、成功し、あるいは失望したかという悲喜交交（ひきこもごも）が漫然と綴られている。著者である豊田氏の言葉を借りれば、「ＳＦ作家交友録」。すなわち、無から手探りで何かを作り出していく破天荒な男たちの挑戦的な生き様だ。もちろん、そこには豊田氏自身も含まれる。

ただ、同書に登場する作家のうち、私が名前を知っていたのは、手塚治虫、星新一、小松左京、永井豪の四名だけ。その上、山ほど引用されている作品のどれ一つさえ、私は知らなかった。つまり、常識で言えば、私はこの本の読者には属さない。書かれている内容と自分との間に何の接点も見つけられないような本が、面白いわけがない。そう思いつつ、しかし、最後まで一気に読んでいた。なぜか強烈に魅せられた。

そのあと、単純に考えた。お門違いの私を、しかも、ワクワクするストーリーさえない読み物でここまで引きつけたこの作家はすごい、と。これは手腕というより、ほとんど怪腕ではないか。そう思った途端、私の心の中に、同じ物書きとして、豊田氏に対する絶大な興味が湧いた。しかし、いったい彼の文章の何が、私を引きつけたのか?

氏の文章は山水画のようだ。感情を抑え、独特な語り口で、事実を淡々と並べていく。そして、随所に散らばるドライなユーモアと、時には諦念。

そして、その文章の間からは、その時代の雰囲気、匂い、人々の息遣いまでが強烈に染み出してくる。日本人が猛烈に元気だった時代の匂い。まだ貧しいながらも、両手にいっぱいの希望を持って生きていた人々の笑顔。そこで生き生きと、ＳＦというキラキラした夢のようなものと格闘していた男たち、女たち。この作品は、豊田氏が「昭和」という時代に捧げた讃歌ではないか、と気づいた。と同時に、それらが失われてしまった現在に対するエレジーでもあるかもしれない。

このあと私は、氏の他の作品にも触手を伸ばした。ＳＦ作家というのは、奇想天外な発想さえあればなれるわけではなく、私がいつもテレビで見ていた『宇宙少年ソラン』の台本も豊田氏の手によるものだったとか）から超能力に至るまで、科学全般に長(た)けていないと、満足な作品は書けないらしい。

ちなみに六〇年代といえば鉄腕アトムの全盛期だ。アトムとか、その妹のウランちゃんという名前を聞いただけで、当時は原子力が花形であったことがわかる。そのアトムのテレビ台本を書いていたのが豊田氏だったということも初めて知った。

豊田氏は当時、原子力の正確な知識を得るために、原子力工学やエネルギーについても勉強し、原子力発電所や火力発電所も見学したという。ＳＦでは全くつながらなかった豊田氏と私だが、ようやくここら辺で、蜘蛛の糸のようなつながりが見え始める。私は、いわば五十年遅れで、今、エネルギーに頭を突っ込んでいるからだ。

実は、共通項は他にもあった。氏の著す韓国事情が面白い。最初、SF作家がなぜ韓国？　と怪訝に思ったが、人生は長いからそういう不思議なことも起こる。その上、氏の著す韓国メンタリティは、さりげないながら、韓国人の心の深層部分に分け入ったような迫力があり、興味深い。こういうものは、その社会に深く潜入し、しかも、鋭い観察眼がなければ物にできない。

一方、そういう意味では、私もドイツという国にかなり深く潜入している。ドイツで暮らした時間のほうが、日本よりも長いほどだ。つまり、ここで再び共通項。

豊田氏が韓国を分析されているほどドイツを客観的に分析できているかどうかは心許ないが、少なくとも私も常にそれを試みてきた。その長い道中では、二国間の狭間に落っこちてしまったり、根っこが失われていく不安感に襲われたり、結構いろいろなことがあったが、最終的に行き着いた先は、自分は日本人であるという当たり前の結論だった。そして、これが、豊田氏の韓国に関する作品の通奏低音となっている愛国心につながるような気がしている。国家についての思考や帰属意識は、外国と深く関わって、ようやく湧いてくるものなのだろうか。

そんなわけで本書は、二人で声を合わせて、日本らしさを失っていく日本、国防を人任せにしてきた無責任な日本人に向かって警鐘を鳴らすという内容になってしまった。つまり、ＳＦ作家と、音楽の勉強でドイツに渡った人間を足して二で割ったら、二人の愛国人間が出てきたという摩訶不思議が、本書の肝と言えるかもしれない。

ただ、蛇足ながら、もし、もう一度、豊田氏とご一緒する機会に恵まれれば、私はぜひ、氏が心に描く日本の未来を聞いてみたいと思う。初めてＳＦ作品を垣間見た私は、氏が半世紀も前に書かれた、おそらく当時は酔狂だと思われただろう多くの事象が現実となっていることに気づいて啞然とした。そんなことができる人は、これから半世紀後のことも、かなり正確に予想できるはずだというのが、現在、私が豊田氏について密かに持っている確信なのだ。もちろん、その未来が、真っ暗でないことを祈りつつ。

豊田有恒氏に巡り合わせてくださったビジネス社には心から感謝している。

読者の皆さまには、本書を楽しんでいただき、できれば、国家滅亡の危機も感じ取っていただければと願う。なんだか、ＳＦっぽくなってしまった……。

二〇二一年八月　今なお暑い東京にて

川口マーン惠美

ドイツ見習え論が日本を滅ぼす

目次

第1章　似て非なる国・日本とドイツ

第2章 「メルケル後」の行方

第3章 ドイツを襲う「平和ボケ」

第4章 「戦争責任」という呪縛

第5章 「後進国」だった海洋国家と大陸国家

第6章 日本の反面教師、移民・難民大国

第7章 亡国のカーボンニュートラル

ドイツ各州と州都

※ベルリン、ハンブルク、ブレーメンは州と同格の特別都市

第1章 似て非なる国・日本とドイツ

ドイツへの憧れが醒めた理由

豊田　ドイツとの縁ですが、年長者として私から口を開かせてもらいますと、戦後に武蔵高校から大学受験をする際にドイツ語で受けようとしました。不規則動詞の表を壁に貼ったりして勉強しました。当時は英語以外で受けたほうがやさしかった。すると文部省がそれは不公平だと言い出してドイツ語の出題を難しくする方針に変更されたので、私は英語受験に切り替えました。それでも武蔵高校ではドイツ語受験組がたくさんいましたが。

ＳＦ同人誌『宇宙塵』で、ドイツ留学経験のある大学教授の同人から、「君、ドイツ語やってたよね」と言われて、ペリー・ローダンシリーズというドイツ初のスペースオペラの原本をいただきました。この本のことを同人雑誌に書いたのですが、現在に至るまで全世界で何億部も売れている超人気本で、春秋の筆法をもってすれば私が最初に発見した、ということになるのですが、これもドイツとの縁の一つです。

「宇宙英雄ローダン・シリーズ」として今はハヤカワ文庫で六五〇冊も出ています。何人ものプロ作家が持ち回りで書き続けているシリーズでSFの世界では知らない人のいない世界的なロングセラーです。

私の若い頃はドイツは総じて人気がありました。今は大学でもドイツ語の人気は往時ほどではありませんが、日本は明治以来軍制や科学技術、医学、音楽などをドイツに学び、西欧文明の代表格として仰ぎ見ていましたから、ドイツ崇拝の思いは強かったのです。

ところがある時期から、私自身もそうでしたが、ドイツへの憧れの思いが醒めてしまって、好きだったのが一転して、日本人の立場から批判的に見られるようになった気がします。ドイツを尊敬しているだけでいいのか、といった感じです。日本人はドイツを好きだけれどドイツ人は必ずしも日本を好きではないのか、と気づいたこともあります。ヴィルヘルム二世の『黄禍論』などを知ってからはなおそう思いました。ドイツと日本の似ている部分と違う部分。これはあって当然のことですので、このあたりを四十年ドイツに暮らす川口さんにお聞きしたい。

親日派を装うドイツ人記者

川口　豊田先生のご本を拝読して驚いたのはドイツのことをよくご存じだということです。普通、本を読んでいてドイツについての記述に出くわすと、ちょっと違うなと思うことが多いのに、先生のご本では、チラッとついでに出てくるような文章に、「そう、そう、その通り」と思うことが多かった。なのに、ドイツにはいらしたことがないとおっしゃるので、びっくりしました。

たとえば、ドイツ人が日本人を必ずしも好きではない一例として挙げられた南ドイツ新聞記者のゲブハルト・ヒルシャー氏。「ドイツ人の代弁者として日本人に対しては親日派を装いながら」という前置きは的を射ています。私も、彼はおそらく、日本で周りにいた人に対しては親日派を貫いていたと想像しています。だから、彼がドイツに送っている原稿を見たら、皆、びっくりしたのではないでしょうか。

ドイツ人の日本への悪口を歓迎する日本人

豊田　ヒルシャーは南ドイツ新聞の主筆で、以前は日独比較文化論で鋭い分析をして人気がありましたが、次第に反日オピニオン・リーダーになりました。ドイツ人も酷いことをしたが日本人だって同様だ、と言いたかったのでしょう。残虐な行為をしたのはドイツ人だけではないのだ、と。日本を巻き込んだあげく、一種の免罪符（めんざいふ）を得ようとしている気がして、愉快ではありませんでした。

日本人は反省好きですから外国人が悪口を言ってくれるのを歓迎するふうさえあります。よく世間で言われる自虐史観は、反省好きの国民性の上に成り立っているもので、言われたことを糧として、悪いところは直してよくしていこうという面がありますから、ヒルシャーもそうした言説を言いやすかったかもしれません。

「嘘も百回言えば本当になる」とヨーゼフ・ゲッベルスがいったように、日本人だってこんな酷いことをしたと大げさに何度も書き送れば信じてしまう人も出てきます。

本当はそういう外国人記者に対し、そのようなやり方は通用しないよと、ちゃんと言ってあげられる日本人がいないとダメなのですが、言われるがままに放置していた。そういうことが日本人は嫌いなのかもしれませんが、結局日本側の問題でもある。

意外に自信がないドイツ人

川口　自虐的とはちょっと違いますがドイツ人もそれと似たところがあって、ホロコーストによって世界中から酷い人間だと非難されてきたからでしょうか、良い意味でも、悪い意味でも、自分たちはどこか特別だと思っているところがあります。優秀なんだけど、嫌われているかもしれないので、どこかで遠慮しなければいけないというアンビバレンスな感情……。

以前ドイツ料理についてのエッセイを書いていたとき、それを知った友人に、「あまり悪く書かないでね」と言われたこともありました。そのときは、「食べ物には自信がないんだな、この人たちは」と思いました。フランスやイタリアに引け目を感じているのですね。

豊田　その感じ、韓国にのめりこみはじめたころ、韓国で経験しています。いろいろなホテルに泊まりましたが、当時は韓国料理のレストランが、まったくなかった。せっかく韓国へ来たのだからと、街の食堂へでかけました。そこで、知人に、なぜ韓国のホテルには韓国料理のレストランがないのだと問い詰めると、韓国料理は外国人の口に合わないからという答えが、戻ってきました。自信がなかったからでしょう。その韓国人が、今や韓国料理は世界一だなどという。自信不足と自信過剰のあいだで、揺れ動いているようです。

ところで、食べものの話だとよく言われるのが、「イギリス人はどんな不味いものでも食べられるから七つの海を支配できた。フランス人はそうでないから限られた植民地をフランス風にしたがった」。ベトナムはフランスパンが美味しいですよね。そこへ行くとドイツは……。

川口　ドイツ人は元来、食べ物にはあまり興味がなかったので、なんでも食べられるかというとそうでもなく、昨日食べたものを今日も明日も食べられれば満足という人が多い。

新しい物を試すという欲求はあまりありません。それに比べて日本人は、新しいものは大好きだし、それをもっと美味しくしようと味の研鑽を重ねる。研究心が強いから日本の中華料理は本当に美味しいですよね。ドイツの中華料理はあまり美味しくない。取り分ける習慣もないから、ドイツの中華料理屋では、一人一皿で注文して黙々と食べています。皆んなで分けようと提案しても、たいてい却下される。一人で「青椒肉絲」だけを食べ続けるのは、辛いものがあります。

豊田 強力な王朝のあった国は料理がいい、と言いますね。王宮に必ず腕のいいコックさんを呼びますから。

川口 その伝で行くと、小さな邦国の集まりだったので、ドイツという観念が希薄だった。比較的大きな国でも、コックはフランスから、音楽家はイタリアからなどと連れてきていたことも多く、いつまでたってもドイツ料理というジャンルが確立しなかった。美味しい物はあっても、では、何がドイツ料理？　といわれると、わからないのです。

日本人はソーセージ（ヴルスト）やジャガイモを挙げますけど、ソーセージは軽食で立ち食い蕎麦みたいなものだし、ジャガイモは単なる主食です。だからあれがドイツ料理といわれると、ドイツ人は「？」となります。お肉も野菜も美味しい素材は山ほどありますが、ドイツ料理をイメージできるものがあるようなないような。ザワークラウトは冬の間のビタミンC補給としてのいわば白菜のお漬物みたいな存在だし、アイスバインなど見るからに野蛮っぽくて、ドイツ人でも好まない人が多い。

でも、従来の領邦国家それぞれの郷土料理には、美味しいものがたくさんあります。肉は、牛も豚も鶏も七面鳥も鴨も鹿も、一定の値段を払えばそれぞれに美味しいし、野菜も美味しい。北ドイツの北海やバルト海に行けば、魚料理も豊富です。日本人が旅行に行くとそこのところがわからないから、わざわざあまり美味しくない物を注文しては、文句を言う。たとえばステーキが硬いとか。霜降りを期待してはいけません。

豊田　私も、同じ失敗をしています。マヤ・アステカ文明を扱ったテレビの仕事で、メキシコへ行ったときのことです。小松左京さんと私が、かけあい漫才のようなナヴィゲーターを務めました。夜遅く着いたばかりのホテルで、メニューを吟味するのも面倒なのでステーキを注文したところ、これが硬くて食べにくい。翌日は朝一番、マヤ・アステカで神様とされるハグアル（ジャガー）の取材に動物園へ。ちょうど食事の時間で、巨大な肉のかたまりが、ジャガーの前に放りこまれる。ところが、ジャガーが、食いちぎろうとするが、なかなか噛みきれない。われわれ、みんな昨夜のステーキを思いだしました。小松左京が、ジョーク一発。「おい、あいつは、プロだぞ」もちろん同じ肉ではないが、プロの食肉目ジャガーに食いちぎれないものが、人間に噛みきれるわけがありません（笑）。

自分が悪くても絶対に謝らないのがドイツ社会

川口　似ていないところで言うと、権利意識がものすごく強い。それが、責任の所在の追及に直結する。だから、自分の責任が確定するまでは、絶対に謝らないし、まずは、それは自分のせいではないと必ず主張します。

たとえば、買ったものに不具合があってお店に持っていくと、店員は直ちに防御壁を作って、「これはあなたの使い方が悪かったのだ」と主張し始めたり。日本人の店員だったらまず話を聞いて「ご足労をおかけして申し訳ありません」から始めますが、ドイツでは下手に出たほうが悪いことになる。ですから最初から静かなバトルです。日本人同士のように「このへんで通じるだろう」と甘い読みで話していると、まるで犬と猫の会話みたいに話が通じなくなる。自賠責保険は必須です。

私が長く住んでいたバーデン・ヴュルテンベルク州では、自宅の前は雪かきをしなければいけないという条例があって、雪かきを怠って誰かが転んで怪我をしたら、賠償責任が生じます。雪かきされない公園には「ここで転んだ人は自分の責任です」と立て札が立っています。それほど高級でないレストランなら、コート掛けのところに「ここでなくなっても自分の責任」と書いてある。すべて後で起こるゴタゴタに対する備えです。

学校が掛けている保険も、事故の起こった時間が契約した時間と一分でも違うと保険が下りなくなります。日本の学校がどうなっているか知りませんが、日本では未だに多くのことが性善説で処理されているようで、それが、国際関係の上で国力を弱めている大きな原因の一つになっています。ちなみに、ドイツの「謝らない」という態度のほうが、グローバル・スタンダードには近いでしょう。ただ、同じ「謝らない」でも、中国や韓国とは違い、法律で固めているのがドイツです。ここはドイツに学ぶべきです。

豊田　日本人は非がたとえこちらになくても謝れば相手は許してくれると思っています。一つの村の中で仲良く生きてきた自国民についてはそうかもしれませんが、他国には通じないことをそろそろわからないと。相手側の主張に反論しないことは、すなわち相手の主張を認めることとイコールである。慰安婦問題でも竹島や尖閣諸島の問題でも、こちらが一歩退けば向こうは二歩出てきます。ドイツ式に「悪いのはどちらか」をはっきりさせない限り、けっして問題は解決しないはずです。見習うべきです。

ドイツでは知的な人だけでなく、労働者とかロウアーな人たちも「謝らない」対処法を固めているのですか。

川口　そうです。そういう環境で生まれ育っているのでそれが当たり前なんですね。学校で子供のジャケットがなくなって学校で掛けている保険会社に賠償請求するとき、他のお母さんたちはパッと領収書が出てきます。私には真似ができません。

ある土曜の雪の日に、うちの前の坂が凍って、転んで怪我をした人がいました。焦って弁護士に電話で相談したら、何時のことかと聞かれ、結局、「週末の除雪は八時からが義務なので、七時半なら大丈夫です」と……。日本人にはちょっと怖い社会です。

豊田　日本だと、以心伝心であまり突き詰めて言わなくても通じてしまうので、そこまではしませんね。対・韓国では、言いすぎるくらい言ったほうが、かえって巧くいきます。理外の理、言外の言などというのも、いかにも日本的で、相手が忖度してくれるから、通用する。議論など、ふっかけようものなら、あいつは理屈っぽい奴だということで、敬遠されるようになる。しかし、国際的には、日本式では本当にいろいろなことが通じなくなっています。

日本式はグローバル・スタンダードでは通用しない

川口　日本式を改めてドイツ式というか、そこまで徹底しなくてもグローバル・スタンダードに近づけようとすると、日本人は改悪を強制されている気がするかもしれませんね。

豊田　私の経験したことでこんなことがありました。ＳＦの小説誌でアマチュアが書いたショートショートの選者を三年ほどやりました。投稿者がつけてくるコメントは二つに大別できて、「これは誰も書いたことのない素晴らしいアイデアだ」というのと「下手な小説ですみません」というのと。「オレがオレが」というのと、必要以上にへりくだったのとの二種類です。それが両方とも作品の出来や筋とは何の関係もないのです。前者がどうしょうもなく酷かったり、後者が素晴らしい作品だったり。日本の若い人たちも、主張と卑下のダブルスタンダードに悩まされているのだなとつくづく思いました。卑下は謙遜と言い換えてもいいですが、ダブルスタンダードから解放されていないようです。

川口　似た話ですが、ドイツの音楽コンクールで審査官をした友人の話です。コンクールの結果が出た後、審査官との面談の時間があり、落とされた参加者はどこが悪かったのか、どこを直せば良いかと聞いてくる。それを指導してあげるのも審査官の仕事なのですが、中国人とロシア人は「何で落としたんだ」と食ってかかる人が多いという話でした。日本人はまず言わないでしょう。

非常時の団結力は共通

豊田　エスニックジョークに、こういうのがあります。飛行機が落ちそうになったとき、ロシア人は一個しかないパラシュートを奪い取って自分だけ飛び降りる。日本人はその後に続いてパラシュートなしで飛び降りる。フランス人はキャビンアテンダントをくどき始める。イタリア人はキャビンアテンダントを押し倒す。そしてドイツ人は操縦席に行ってどこが故障しているかを追求する。

似た話でこんなのもあります。出されたビールに蝿が入っていたらどうするか。ロシア人は気がつかないで飲んでしまう。日本人は一口も飲まないで代金をその場に置いて立ち去って二度と来ない。ドイツ人はなぜ蝿が入ったかを追求する。両方の話ともオチになるのがドイツ人。

世界にあり得ないもの――、アメリカ人の哲学者、日本人のプレイボーイ、イギリス人のコック、ドイツ人のコメディアン――というジョークもありますね。

川口　ドイツ人はとにかく規則を守る国民だとされていますが、よく観察すると、罰則がない場合には、結構、「弱肉強食」です。市場や、コンサートの後のクロークなど、列ができることもないため、私なんかいつまでたっても順番が回ってきません。割り込むコツもあるみたいです。

半面、災害のときは助け合います。それは日本と同じで、隣の町からもみんな応援に来て張り切ります。今年の七月にあった西部大洪水でもそうでした。治水が悪いのでドイツは洪水が多くて、大雨が降ると川沿いの低地では地下室まで水に浸かります。そうなると重機は入れないから人の手で汚泥を掻き出すのですが、困っている人を皆で助けるのは、キリスト教の隣人愛が残っている感じがします。

豊田　日本でも東京大空襲の記録を読むと焼け出されて怪我をした人を全然関係のない人が戸板に乗せて病院に運んだとか記されています。ドイツ同様、日本も災害が非常に多いのでそのあたりの国民性は似ていますね。

災害のみならず国難に際して団結するのも一緒ですか。国の一大事のときに一致団結するとか。

川口　東西ドイツ統一のときはものすごかったです。国をあげて団結して、同じドイツ人なのだからと東の人も西の人も高揚感に包まれました。けれどそれも今から思うと一瞬のことで、団結はあっという間に崩れました。東の経済破綻が半端でなく、西の景気までが落ち込んだからです。ただ、ドイツ人は、利害も責任問題も絡まなければ、基本的には他人にとても親切で、ベビーカーを電車に乗せるときには、皆が持ち上げるのを手伝ってくれますし、道を聞けば丁寧に教えてくれる。だけど、それとサービス業は別なのです。ドイツ人は、サービス業をどこか軽蔑しているところがありますから、「お客さまは神さまだ」とは絶対になりません。

議論好きのドイツ人、批判を避ける日本人

豊田　ドイツ人はおしゃべりでしょうか。日本人は通常はわりと黙っていて、細かいこと

をごちゃごちゃ説明しなくてもわかってくれると期待してしまいますが、ドイツ人は普段の生活でも弁舌を振るうのですか。

川口　それはもう！　彼らは元来、会話や討論が好きですから、食事に行ってもいつも喋りまくっています。日本の友人がドイツでレストランに行くと、周りのドイツ人を見て、「よくあんなに喋ることがあるわね、あの人たち」と、皆、呆れます。

日本人は討論はあまり好みませんが、ドイツ人は討論で激しいバトルをしても、その後で全然根に持たない。にっこり笑って、バイバイができる。娯楽の一部なのでしょうね。学校でディベートの訓練を受けていることもあるのでしょう。日本人は議論なんてあまり好きじゃないから、基本的に相手の言っていることを否定しない。しかも、反論されるとムカつく。論破されると、傷つく。討論には向いていない。

豊田　そう、日本人は「おっしゃる通りだと思います」などと言いながら、徐々に相手を自分の意見のほうへ誘導しようとする。相手を傷つけないように注意して、自分の意見を徐々に開陳する感じです。これが日本式の議論になっているんですね。

日本人は、本格的に討論するとなると、逆に冷静でいられなくなり、のちのちしこりが残ったりします。私は、昔、大和書房の社主の大和岩雄（おおわ）さんから、伺った話を思い出します。安本美典さん、古田武彦さんの邪馬台国をテーマにした討論集を刊行するつもりだったそうです。お二人とも、私とも面識があり、学問的にも大きな業績を持っている方です。大いに期待したものです。双方に速記録を渡したところ、どちらかの方が、自分の発言のほうが少ないので、加筆させてほしいと要求したそうです。加筆したものを初校としたところ、今度は、相手の方が、私のほうが、劣勢に見えるから加筆させてくれと要求。再校では、もう一方が加筆。そのうち、貴方は、どこどこのシンポジウムでは、こうこう主張されたが、某誌では真逆のことを書いている。学問的な良心はないのかと、詰問する。相手も黙っていない。貴方こそ、非論理的で、おかしなことを喋ったり、書いたりしているではないかと、例を挙げてののしる。とうとう学問的な論争ではなく、個人攻撃のレベルになってしまい、とうとう、お二方が犬猿の仲になったばかりでなく、大和書房も、骨折り損のくたびれ儲けに、終わってしまったそうです。

この対談も、せっかく川口さんのような素敵な方と、お目にかかれたのですから、そうならないように努力しましょう（笑）。

川口　私の娘などは、「日本人って、せっかく集まっても、すごく無意味なことばかり喋っている」と言うのです。まさにその通りで、日本人が集まれば、駄洒落を言ったり、面白い話を披露するばかりで、真剣な話などは滅多にしません。だから、無意味といえば無意味なのですが、それも文化のうち。生ぬるいかもしれないけれど、快適です。

豊田　討論が商売のはずの学者でさえ、日本では議論しません。朝日講堂で邪馬台国の九州説と畿内説両方の学者を呼んで討論会をしたときに私が司会を務めました。前日の打ち合わせではビールが入ったせいもあって、両者侃侃諤諤の応酬になり、一方の学者が、相手に指を突き付けて、「あなたは間違っている」と断言する始末。「明日はきっと白熱して面白くなるぞ。客が喜ぶぞ」と期待していたのですが、いざ本番になるとそれぞれが淡々と自分の意見を言うだけで、まったく反駁しないから議論が発展しない。相手の面目を潰すようなことは言わないので討論にならないのです。司会者としては、がっかりして、柔道の試合などで使われるゼスチャーも交えて、「双方の先生方に教育的指導を差し上げます」と言ったところ、聴衆には大うけでしたが、先生方は嫌な顔をしていました。

川口　学者はそこまでではないのですが、ドイツで政治家のトークショーを見ていると、聞いているこちらが耐えられないぐらい、相手の弱点を、ナイフでグサグサ刺すように攻撃します。そういうのがドイツ人は好きなのですね。選挙前の党首討論でも、死闘のようだとみんな喜ぶのですが、そうでないと「すごく退屈だった」と新聞でボロクソに書かれます。

豊田　何でこれを聞かないのかと、日本の政治家へのインタビューなど歯がゆい思いがして仕方ありません。相手を傷つけることは一切聞かない。つまらない、どうでもいい質問しかしなくて、何かを聞いて相手が何か言うと、「ああ、そうですね」と同意して終わり。また、国会討論などでも、野党が与党を追及することはあっても、与党が野党に反駁することをしない。金持ち、喧嘩せず、といったような気持ちなんですかね。

川口　ドイツのインタビューは、一つ聞いて相手がそれに応えるとそれに対して一切のコメントなしで次の質問に行きます。日本のは〝ご意見拝聴〟で、インタビュアーがうなずいて、必ず、肯定のシグナルを発します。相手の言いたいことだけでなく、そうでないことを引き出すのがインタビュアーの能力のはずですが、日本のインタビューは、似て非なるものですね。あまりグサグサやると、インタビュアーの人気が落ちるのが日本文化かもしれません。

第2章

「メルケル後」の行方

脱炭素がドイツの国是

川口　このところ「緑の党」が主張してきたことがとくに重要視されて、とにかくCO_2を出さない、気候温暖化を防ぐ、が国是というか、ドイツの最大関心事になっています。何が今一番の問題ですかと聞くと、コロナを除けば、大半のドイツ人がそれを挙げます。貧富の格差でもロシアの脅威でも中国の台頭でもなく、地球温暖化の問題で頭がいっぱい。

だから、以前からこの問題を取り上げていた緑の党が伸長するのは当然として、今や他の党もこれを言わないと票が取れないということで、全員声を揃えるようになりました。EU全体がそうなっていますが、これももとはと言えばドイツの影響かも。

ただ、地球温暖化が、人間が出したCO_2のせいで起こっているということは、まだ科学的に証明されていません。しかも、仮にそうだとしても、ドイツは世界全体ではCO_2の主要排出国ではありませんから、ドイツがCO_2を削減して地球の温度が下がるのかは疑問ですが、とにかく下がるという前提で事は進められています。

メルケル首相も今では、地球温暖化という言葉の前に、「人間のせいでひきおこされた」という枕詞を付けます。

緑の党は、ガソリン車とディーゼル車は乗るな、飛行機はCO_2を大量に出すからだめ、酪農はメタンガスを出すから肉も食べるな、乗るなら電気自動車（ＥＶ）に乗れと主張します。自動車に関しては、ＥＵ各国がガソリン車、ディーゼル車、ハイブリッド車の新車登録を終了する期日を決め、本当に二〇三〇年、二〇三五年あたりでＥＶだけにするつもりです。その上、ドイツでは、今年の初めから炭素税が掛けられているため、すでにガソリンが二五％も値上がりしています。これからも炭素税は値上がりが決まっているので、ガソリンも、暖房用のガスも、価格はどんどん高くなっていく。特にドイツでは車は必需品ですから、このままでは、そのうち庶民が立ち上がるのではないかと思います。

緑の党は新左翼に端を発する党ですが、今や完全にエリート集団で、その主張はすでに大衆の求めているものから乖離しています。ドイツの田舎では、車は贅沢品ではありません。しかし、電気自動車はいくら補助金をつけられても高いし、都会を離れれば、充電スタンドもない。電気自動車を買えるのは、自宅の駐車場で充電できるある程度裕福な人たちです。でも、その電気自動車には、現在、膨大な購入補助金がついていますから、電気自動車など買えない貧乏人も、その補助金だけはちゃんと負担させられる。ひどく不公平な話です。

ドイツには、旧東独の独裁党SEDの流れを引いている「左派党」というのがあります。一方の緑の党も、環境党のような顔をしていますが、中身はやはりかなり左です。ただ、左派党が社会主義的立場を旗幟鮮明にして、貧乏人の味方であるのに比べて、緑の党は都会のエリートの党です。特に、旧東ドイツでは人気がありません。彼らは緑の党の本質を見抜いているのだと思います。

ドイツ政党の勢力図

豊田　ドイツの政党事情をもう少し教えてください。保守側にメルケルの率いる「キリスト教民主同盟（CDU）」と「キリスト教社会同盟（CSU）」がいて、リベラル側に「社会民主党（SPD）」と緑の党がいるわけですね。

川口 メルケルのCDUが有名ですが、じつは同党はCSUとのペアで、「同盟」と呼ばれて協働しています。CSUはバイエルン州だけに支持基盤を持つ地方政党で、CDUはバイエルン州以外の全国に支部を持ち、両党で全国をカバーしている。

その同盟よりさらに右に、「ドイツのための選択肢＝アー・エフ・デー（AfD）」があります。そして、中小企業や地主を基盤としているのが、リベラルの「FDP（自民党）」です。

次の総選挙は九月二十六日で、CDUのメルケル首相はこれで政界引退と宣言しています。メルケル政権は四期十六年続きましたが、そのうち三期はSPD（社民党）との大連立です。実際はSPDが衰退しているので、大連立というのは烏滸がましいのですが、一応、得票が上位一位と二位を占めた両党がずっと政権を持っていたわけです。本来なら、CDU／CSUとSPDは政策がかなり違うはずですが、実際問題として、メルケル政権の間にCDUはどんどん左傾しました。言い換えれば、SPDは連立している間に自分たちの政策を全部横取りされ、影が薄くなってしまったというわけです。脱原発も、徴兵制の停止も、難民の積極的な受け入れも、同性婚の合法化も、みなそうです。最近のメルケル首相は、ＳＰＤを通り越して、緑の党と一番波長が合うのではないかと言われるほど、保守から離れてしまい、もちろんＣＤＵ内にはそれに対して不満を持っている勢力も多かった。ですから、今後、メルケル引退をきっかけに、ＣＤＵが原点に戻る形で保守として再度復権する可能性は大いにあるかもしれません。

ただ、現在、ドイツの政界は大揺れで、四月の初めには緑の党が急伸したのです。次の政権は緑の党かと思われるほどでしたが、後で詳しく申しますが、首相候補となっている女性のスキャンダルで、五月には真っ逆さまの墜落。その後、七月にはＣＤＵの首相候補アーミン・ラシェット氏が、水害の被災地を視察に行ったとき、取り巻きと大笑いしているところをビデオに撮られて人気失墜。そのおかげで、八月後半になって、今まで十年ぐらい没落の一途を辿っていたＳＰＤがぐんぐん伸びるといった不透明な状態になっていきます。誰と誰が連立を組むことになるのかも、今ではさっぱりわからない。

豊田　ドイツの政党は政党の離合集散が目まぐるしいですね。これは伝統のようなものですか。

本書に登場するドイツの主要政党

ドイツキリスト教民主同盟：CDU（Christlich Demokratische Union Deutschlands）

EU最大の保守党。わずかな例外を除いてほぼ政権与党を独占。2000年より2018年まではメルケルが党首。自由と安全保障を重視し、社会的市場経済主義を目指す。ただ、昨今は左傾の傾向も顕著。バイエルン州には支部を持たない。

キリスト教社会同盟：CSU（Christlich-Soziale Union in Bayern e.V.）

バイエルン州だけにある、小さいが存在感の大きな保守政党。宗教色を隠さず、ドイツの伝統や価値観を重視。難民問題や家庭政策ではしばしば同会派のCDUとも対立。州民の権利と自由を守る強い州政府を目指す。

●以上2党が、キリスト教同盟会派（CDU/CSU）として、常にコンビで共闘

ドイツ社会民主党：SPD（Sozialdemokratische Partei Deutschlands）

中道左派。ドイツ最古の由緒ある政党。元は労組の活動から出発した労働者の党。現在はマイノリティー保護や多文化共生にも積極的。昨今はCDU/CSUとの度重なる連立で輪郭を失い、支持層の労働者が離れ、弱体化していた。

緑の党（BÜNDNIS 90/DIE GRÜNEN）

1960年代からの学生運動の流れを引く左派政党。元は自由を提唱したが、現在は環境保護に特化し、規制に熱心。都会のエリートや若者が支持層。難民の受け入れに積極的。

ドイツのための選択肢：AfD（Alternative für Deutschland）

2013年、政府のEU金融政策に反対した経済学者が作った保守党。2015年には難民政策を非難し、国民の支持を得る。CDU/CSUが警戒し、極右のレッテルを貼って排除を試みているが、一定の支持層が定着している。

自由民主党：FDP（Freie Demokratische Partei）

新自由主義的な経済政策を唱えるリベラル政党。過去、保守とも革新とも連立し、しばしば国政に参加。事業主の自由と個人の自由を尊重する。現在は、どちらかというと中道右派。

左派党（DIE LINKE）

文字通りの左派勢力。東独の独裁政党SEDの流れを汲む。社会的平等を目指す労働者の党。CDU/CSUからは極左とみなされているが、SPDや緑の党にとっては連立可能な党。現に州政府レベルではしばしば与党に参加。

川口　いえ、これは最近の傾向です。戦後から今世紀の初めまでは、ずっと保守CDU／CSUと革新SPDという構図の二大政党制が機能していました。しっかりした野党が、常にあったということです。

ただ、前述のように、政局の台風の目である緑の党は、今回の総選挙に初めて首相候補を立てました。緑の党は党首を置かずに男女のコンビが代表を務めますが、その片割れであるアンナレーナ・ベアボック氏に、文字通り首相府を狙わせたわけです。ドイツメディアは元々、かなりの緑の党贔屓ですから、四月ごろは、ベアボック氏が未来の首相のように持ち上げられました。世論調査の結果でも、ベアボック氏の人気は急上昇で、一時は望まれる首相の一位になったほどでした。メルケル首相が緑の党との連立を望んでいるという根強い噂もありました。

ところが、メディアというのは恐ろしく、ベアボックの収入に申告漏れがあったとか、彼女の履歴が不正確であったというところから、ついこの間の絶賛が、五月には突然、熾烈な攻撃に変わったのです。そのうち著書の盗作問題まで出た。彼女はまだ若いし、政治経験も浅いし、叩こうと思えばいくらでも叩く材料はあったのです。攻撃は、やがて弾劾とも言える激しさとなり、インタビューでは残酷な質問がなされ、メディアが載せる写真まで、凛々しいものが、顔を顰めたようなものへと一変したのには驚きました。

ただ、すごかったのは、彼女が諦めなかったこと。そうするうちに、七月半ばに大洪水が起きて、それが地球温暖化のせいであるという空気が広まると、ベアボック氏は次第に息を吹き返しました。すると不思議なことに、メディアがまたベアボックを応援し始めた。最近のメディアは、自分たちの権力に酔っていて、その行使が行き過ぎているように感じます。それについていく国民も情けないけれど。でも八月末の段階では前述のように、緑の党は三位に落ちてしまっています。

中露と馬が合うメルケル

豊田　メルケルの潜在的なＤＮＡの中には、穏やかな社会主義的な思想みたいなものがあるのでしょうか。旧東ドイツの出身ということから、潜在意識的なものかもしれませんが、どこか社会主義へのノスタルジーが残っているような気がします。エネルギー政策も緑の党に引きずられていってしまったし、中国に対するシンパシーにもそれを感じます。

結果的には効を奏して、中国依存が経済成長の原動力になっているわけですが。

川口　中国と馬が合っていたことは確かです。また、ロシア語がペラペラのメルケル首相は、ロシアともどこか通じているところがありました。西側社会では、世界の民主主義の擁護者として奉られていますが、心底はそうでないところもありそうで、本当によくわからない人です。車など、EU市場は飽和状態で、中国が買ってくれなかったら、どこが買ってくれるのかという状況ですから、中国べったりなのは経済的国益としては正解なのですが、この路線はすでに引き返せなくなっているのが問題です。

豊田　社会主義国家の東ドイツで牧師の家に生まれ育ったことがいかに大変なことだったかを川口さんの本で知りました。

　私は崩壊直前のソ連で、キエフの修道院に行ったことがあります。そこに残っているのは礎石だけでした。スターリンが死ぬ何日か前に爆破されたと聞きました。その下のほうには小さなチャペルがあって、そこはスターリンが死んで爆破命令が撤回されたので今もあるのだ、と向こうの作家同盟の人が教えてくれました。あのソ連でも、宗教はアヘンとして、無宗教博物館なども設けて、なんとか滅ぼそうとしたけれど、できなかった。

さる修道院では、善男善女が列をなしているところへ、われわれを案内してくれた作家同盟の人が、割り込ませてくれようとしたところ、猛烈なブーイング。その作家の方は、人民英雄のような称号を持っているので、美術館でもなんでも、行列を無視して、われわれ日本作家を優先的に入れてくれたのですが、ここだけは通じなかった。われわれは、単に見物に来ているだけですが、かれらは信仰のためにに来ているから、それだけは譲れなかったのです。教会や修道院の外では布教活動が当局から禁止されてるため、信者が礼拝にやってきて、イコンを買いもとめて帰り、自宅で祀って祈るのだそうです。共産主義国で、宗教活動をすることが、いかに難しいか、よくわかりました。旧東ドイツでも同様だったのでしょう。

メルケルの父親はなんとか共産主義体制のもとで折り合いをつけながら生きてきたのですね。メルケルのどこかには東ドイツ時代のシンパシー、愛憎二律の感情と言ってもいいですが残っているのかもしれません。

川口　東ドイツでも教会はたくさん爆破されました。牧師一家が生き延びるには、用心と権謀術数が必要だったでしょうね。メルケル首相が寡黙で、冷静で、絶対に言質を取られない物言いをすることなどは、東独時代の影響がありそうです。引退後はEUにも関わらず政治から身を退くと言っていますが、どうなることやら。世界の政治家が意見を聞きに来る〝奥の院の主〟のようになるかもしれません。なにしろ在任十六年ですから、世界の権力図は熟知しているでしょう。

中国への人権問題批判はアリバイに過ぎない

豊田　中国の依存で言えば、人権問題に関しては、さすがのドイツも拳を振り上げかけている気がしますが。

川口　いや、本気で非難する気はあまりないと思いますよ。アリバイ作りとして「中国の人権問題を気にかけている」と声明は出していますが、それはどっちに転んでもいいようにという遠謀深慮の産物です。あるいは、今、外務大臣が人権を熱心にやり初めているのは、政府内の役割分担かもしれません。ドイツ人はしたたかで、一筋縄ではいきません。たとえば、ドイツは二十世紀のごく初期に植民地のナミビアで、かなり大規模な原住民虐殺をしましたが、今年の四月、これを突然、ジェノサイドだったと認めました。そして、ナミビア政府に謝罪し、経済援助のような形で賠償金を払ったのですが、この突然の方針転換の背景には何があったのか。これは、今後、他国と一緒に中国のウイグル自治区のジェノサイド決議を採択しなくてはならなくなったときに攻撃されるのを防ぐためではないか。「私たちもジェノサイドをしたけれど、自ら認めて解決しましたよ」と言うための準備ではないでしょうか。彼らは、そういった時間軸の中で計画を立てて行動することができるのです。

豊田　短いスパンで、万博とかオリンピックとか、タイムリミットを設けて成功させるのは日本人の得意ですが、国際社会で先手先手を打って来たるべき事態に対処していくのは苦手です。中国は、例の九・一一の後、アメリカのテロとの戦いに、直ちに支持を表明して、単純なアメリカ人を感激させましたが、なに、イスラム教徒のウイグル人をテロリスト扱いして、弾圧するお墨付きをアメリカから貰ったようなつもりでした。こういう芸当は、日本人には絶対といっていいくらい不可能です。
メルケル後も商売は商売でやらなくてはなりませんから、中国との蜜月は続くのでしょうね。

川口　香港があれだけ蹂躙されてもほとんどありきたりのことしか言わないし、本当に商売第一です。メルケルからしてそうですが、恭順といってもいいくらいで、中国の気に入らないことはなるべく言わない。小声でちょっとだけ「民主主義は守らなければいけない」などと言うだけです。

アメリカと中国が本気でぶつかり、どちらかと組まなければならない状況に置かれたら、なるべく中立を保つでしょう。いや、ドイツ人はそもそもアメリカ人が嫌いだし、中国との商売は絶対に手放したくありませんから、実際には中国寄りになるかもしれません。フランスのマクロン大統領もそうですが、心の中で考えているのは「アメリカを敵に回さないで中国と商売を続けるにはどうしたらいいか」ということです。中国とはもう線路もつながり陸続きだという感覚もある。アメリカには、戦後にマーシャルプランなどで助けてもらった恩義はありますが、ヨーロッパ人は皆、心の底ではアメリカ人をどこかバカにしているように感じます。

本音ではアメリカの歴史の短さをバカにしている日独

豊田 それは日本人も同じかもしれません。たった二百数十年しか歴史がないくせに、と。こんな話があります。

大分県の宇佐市に工場のある電機会社がテレビをアメリカに輸出したとき、「made in Usa（うさ）factory」と表記したところ、アメリカは「日本製のテレビをアメリカ製であるかのように偽って輸出するとはけしからん」と抗議してきた。それを受けて宇佐の市長が英文で書いた反論が「あなたの国がUSAと名乗ってまだ二百年しか経っていない。こちらは聖武天皇の西暦七五〇年ごろから『Usa』と名乗っているのだ」。ぎゃふんと言ったかどうか知りませんが、その後アメリカ側からは、なにも言ってこなかったそうです。

日本もドイツも、自国には歴史がある、アメリカは逆立ちしたってそれには敵わない、とどこかで思っているはずです。けれども統一された近代国家ということでは共に遅れをとったので、親近感があるのかもしれません。

ドイツの変身についていけてない日本

川口　明治政府が送った岩倉視察団は西欧列強を回りましたが、ドイツからも多くのことを学びました。国家統一がなされたばかりという状況が似ていたからでしょうか。これについては随行した久米邦武の『米欧回覧実記』がおもしろい。

豊田　真偽のほどは不明ですが、あのときビスマルクが日本にとても好意的だったという話があります。「あなたたちの国はドイツと同じくとても若い国だからこうしたらいい」と親身になって教えてくれた、と。それで好感を持ったということはあるでしょう。表面的なことではありますが、ドイツ人はきっちりとしていて時間や約束を守ることに親しみを感じたこともあったでしょう。日本人と同じだ、という共通点を感じたはずです。幕府が、ナポレオン三世と結んだので、それに対する新政府の反発もあって、ドイツに接近したわけですが、普仏戦争（一八七一年）で、プロシアがフランスに勝利したことで、ドイツへの傾斜が一気に加速したのでしょう。鉄血宰相ビスマルクの演説「鉄と血を通して」(Durch Eisen und Blut)は、大人気でした。日本には、当時から現代にいたるまで、ドイツ贔屓（びいき）(Teutophile)（チュートファイル）がたくさんいます。

川口　確かに共通点はあります。今、反日を煽っているのは主にメディアですが、実際に交流のある人たちはそんなものに影響されず、意気投合している分野はたくさんあります。

年配の方で旧制中学でドイツ語をやりました、というような方は皆さんドイツ贔屓です。音楽ファンも文学ファンもドイツ好きが多いし、ドイツ車の人気は根強い。ドイツ製品といえば頑丈で壊れないと信頼している人もたくさんいます。

豊田　それも私どもの世代まででしょうか。下の世代はどうなのでしょう?

私の家が医者だったこともあります、医者のカルテは、ドイツ語と相場が決まっていました。二人の姉はピアノを弾いていて、ドイツの楽曲が家の中に流れていました。姉たちの伴奏で、兄が歌うので、私も真似して意味もわからずにドイツ歌曲（リート）をドイツ語でよく歌っていました。今でもシューベルトの「鱒」とか「冬の旅（ヴィンター・ライゼ）」では「凍れる涙」とか、私もけっこう歌えます。そういう意味では、ある時代までの日本人にはドイツ的な教養のようなものがあったのです。

川口　そうですね。おっしゃる通り、ドイツ的教養というのは下火で、クラシック音楽も若者のカルチャーからは脱落しました。第二外国語でもドイツ語を選択する人はもうほとんどいません。ただ、最近、日本では変にメルケル首相の人気が高くて、「ドイツにはメルケル首相がいていいわね」などとよく言われます。私自身はメルケルがそれほどいいとは考えていないので返答にこまりますが、おそらく今のドイツの評判の高さは、文化より、政治力によるものでしょうね。しかし、その肝心のドイツの政治家が、日本人が信じているように、信用の置ける、まっとうな人たちかというと、私は必ずしもそうは思えません。日本人は、ドイツの変身にもう一つ、付いていけていないところがあるかもしれません。

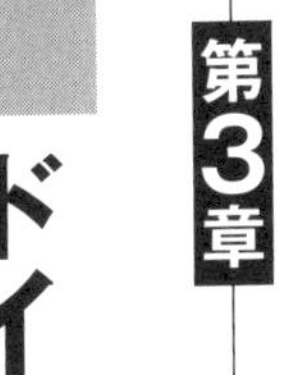

第3章 ドイツを襲う「平和ボケ」

世界から笑われる日本の駐在武官の地位

豊田　以前、防衛庁（現防衛省）から外務省に出向させる「駐在武官」の地位に関して、呆れてしまったことがあります。今は「防衛駐在官」といいますが駐在武官は「ミリタリーアタッシェ」と呼ばれ、諸外国では大使に次ぐ地位で二番目に偉い。中世の頃、ヨーロッパでは、自国の利益のため働くため、相手国に取って目障りな外国大使が殺されることも多く、自国の大使を暗殺から守るため、駐在武官の制度ができたそうです。だからどんなパーティーでも帯剣を許されている。他国で剣を持てるなんて駐在武官くらいのものです。

ところが日本の防衛駐在官は職務上外務大臣の指揮監督に服すると規定されていて、直接防衛庁と連絡は取れず、暗号なども使えない。要するに国防上の重大情報をつかんでも、現地の日本大使館に復命しなければならず、ひいてはそこで握り潰されてしまう。これは国防上絶対におかしい、と思ったのです。

これは変な平和主義で、世界の笑いものです。軍事情報というのは軍人同士でなければ明かしてくれません。こっちから見返りの情報をあげたりしてやっと手に入れるものです。入手した情報は直接防衛庁に上げなければそれが役に立つものかどうかわからないはず。せっかくの情報も外務省の段階で潰されてしまう、誠にお寒い制度が日本にはあるのです。今は防衛省に昇格したけれど大筋は変わらないでしょう。しかも、防衛駐在官は、相手国の格にもよりますが、佐官クラスの上級将校ですが、在外公館では、浮いた存在としか扱われないようです。

川口　私がある中東の国で経験したことです。随分昔、まだ冷戦中でしたが、そこにいた日本の武官は英語ができないと本人がおっしゃり、家に中国人外交官を招いてマージャンばかりしていました。中国人は日本人と顔も似てるし、気も休まるとか言って。中国大使館の人間なんて皆、スパイでしょうに、大丈夫なのかなと私でさえ思いました。たくさん勲章をつけてパーティーに行っても、英語ができなければ情報収集はできないでしょうし。もっとも、あれが彼の演技だったなら、すごかったと思いますが。それに比べて、少なくとも昨今のドイツの駐在武官は優秀ですよ。

かった？

自国を縛れば平和になるという倒錯した国防政策

豊田　どうせ、飼い殺しにされるだけだからと、駐在武官には、しかるべき人材を当てなかった？

戦後日本の国防対策は、日本人の手さえ縛っておけば世界は平和になる、という一点からブレたことがないのです。安保、国防問題など言わないほうがリベラルでかっこよくて、それでいいじゃないかという空気が支配していました。ひと昔も前の話になりますが、有事立法が話題になったとたんに、国民的ともいうべき一大反対運動が起こってしまい、沙汰止みになってしまった。有事とは、今回のコロナ・パンデミックのような事態や、あるいは地震、洪水、噴火などの自然災害も、とうぜん含まれます。もちろん、軍事も含まれるでしょう。しかし、有事立法は、その素案すらない段階で、ヒステリーのような大反発に会って、葬り去られてしまいました。どういう有事立法を作るべきかという議論に行かないのです。もし、有事には、自衛隊、警察などは、一般市民を射殺して良いという原案でも出れば、当然反対すべきでしょう。しかし、具体的なアイデアも議論もない段階で、ダメということになっている。有事＝戦争と短絡したため、触らぬ神に祟りなしといった感じでしょうか。

また、洪水災害の際、さる識者が、アメリカのＦＥＭＡ（フィーマ）（Federal Emergency Management Agency：連邦緊急事態管理庁）のような組織が必要だと唱えたことがあります。ＦＥＭＡは、二〇〇五年、ハリケーン「カトリーナ」が、ニューオーリンズを襲った際、活躍しました。緊急事態では、指揮系統を一本化すべきです。しかし、その後、二度とＦＥＭＡには、言及しなくなりました。誰かから忠告されたか、あるいは、どこかから圧力がかかったか、しりません。ＦＥＭＡの活動のうち、四〇パーセントは、極秘事項（クラシファイド）だと言われます。緊急事態の中には、当然、軍事的な事態も含まれます。ＦＥＭＡが管轄する核シェルターなどもあるそうです。あの識者は、うっかり生半可な知識で、ＦＥＭＡを引き合いに出したものの、禁断の領域に踏みこんでしまったことに気づいて、それ以後は口をつぐんでしまった。

コロナ禍では、しばしば政府の無能ぶりが追及されます。しかし、日本の首相は、アメリカや韓国の大統領とは異なり、大きな権力をもっていないから、ロックダウンなど命令できない。韓国では、オリンピックから帰国したバレーボールチームが、大統領に感謝するよう強要されたほどです。さすがに、これには、韓国はいつから北朝鮮のような個人崇拝の国になったのかという、批判が出たそうですが、それほど大統領の権限が大きいということでしょう。日本も、こうした非常事態には、いわば非常大権のような権限を付与するようにしないと、だめでしょう。

非核三原則も同様です。「作らず、持たず、持ち込ませず」ですが、日本にはもう一つ「語らず」があった。「そんな余計なことに首を突っ込むな」と。

そもそも非核三原則の「持ち込ませず」は絶対おかしいと、早くから言っていたのが小松左京です。アメリカの軍艦を日本人が全部臨検するのか、そんなことできるわけがない。それこそ戦争になる行動です。もちろん対アメリカだけでなく、日本周辺の海はソ連艦船も中国艦船も通る。核兵器が積んでないかいちいち拿捕して調べるなど不可能なことで、核を持ち込んでいないという希望的観測が「作らず、持たず」と一緒にあるのはおかしいと言っていた。

ドイツの「平和ボケ」を一線で食い止めるＮＡＴＯ

川口　ドイツも似たところがあって、たとえば社民党（ＳＰＤ）、緑の党、左派党は、一貫して戦争反対で、ＳＰＤは、今国内にある核弾頭は全てアメリカに返せなどと主張しています。ドイツ軍を戦闘集団として外国に派遣するのは止めろという意見も多い。でもその一方でドイツはとても現実的なところもあって、ＳＰＤが政権を摂っていた間も、武器の大量輸出は続いた。北大西洋条約機構（ＮＡＴＯ）に入っている以上、ＮＡＴＯ諸国と足並みを揃えないといけないこともわかっています。特にＣＤＵは、国防をかなり真剣に考えていて、ＳＰＤと連立しても、外務省や財務省は手離しても、国防省だけは絶対に渡しません。

豊田　やはり冷戦時代の緊張を直に体験して、東ドイツと対立があったし、その中で今は停止されたけれど徴兵制を布いたし、海外派兵にも踏み切ったわけですね。けれども日本は冷戦時代もドイツほどの緊張感はなかった。アメリカにおんぶに抱っこですんでしまった。自分の手足さえ縛れば国際社会との関係は自ずとうまく行くという大甘な感覚を象徴するものとしてこんな話があります。

社会党に力があった土井たか子委員長の時代、国産輸送機を作ろうとした。けれども遠くまで飛べると侵略に行くかもしれないと社会党が反対したため、採用されたC-1輸送機は航続距離が八トン積荷で一五〇〇キロしかないのです。日本列島だけで約三〇〇〇キロあるのですよ。C-1輸送機は五〇〇メートルくらいあれば不整地でも離着陸できる高性能機ですが、航続距離だけが問題で、いちいち下りて給油していたのでは、外国どころか国内でも使いにくい。パラシュート部隊の訓練くらいしか使い道がないわけです。さすがに後継機のC-2はC-1の四~五倍の航続距離があって、国連平和維持活動（PKO）にも使えますが、一事が万事、自国の手さえ縛っておけばそれでOKという国なのです。

戦争をしないために必要な抑止力とは、近隣諸国にある程度脅威を与えるものでなければ意味を成さないはずですが、考え方の根本が間違っているのです。

国際情勢は常に変化していて金科玉条の如く大切にしている平和憲法の通りにはならないということを学校でも子供たちに教えなければなりません。「平和を愛する諸国民の公正と信義」に依存している憲法ではありますが、「諸国民は愛させるけれど、平和を愛さない諸国民もいる」と当たり前のことに気づかなければいけません。

タリバン復活は西側の完全な敗北

川口　現に日本にも近隣諸国の脅威は迫っています。隣国から発射されたミサイルが列島の頭上を幾度となく飛んでいる。尖閣諸島周辺には漁船を装った中国の武装船が白昼堂々と現れて、大っぴらに領海侵犯を繰り返す。南シナ海では巨大な軍事用の人工島までできてしまった。手をこまねいていればかの国の侵略はとどまるところを知りません。

実は日本同様、ドイツも似たような状況下にあります。一帯一路でＥＵが分断されかねないし、中東はますますきな臭い。今年の四月にはＮＡＴＯがアフガニスタンからの撤退を発表しましたが、その途端、タリバンが全土であっという間に復活しました。二十年間、戦って、西側の民主主義など定着させることはできなかった。完全な敗北です。中東、アフリカからの難民の流出も、すごい勢いで続いています。これからのＥＵの最大の危機は、難民問題です。人道の理念が支配する難民問題と、国境防衛である国防が、真っ向から衝突し始めるでしょう。

政府が率先するドイツの武器輸出

豊田　確かにタリバンのアフガン制圧は、大問題です。かつて、タリバンを追放したときは、民主主義的な国造りを計画しました。しかし、さながら戦国時代のような歴史しか知らない国に、民主主義は根付かない。衆愚政治、賄賂政治に堕して、結局は崩壊してしまう。アメリカが、支援した体制が崩壊すると、大量の兵器が残されます。イランのパーレビ王朝が覆ったときは、当時の最新鋭の可変翼戦闘機F-14が、のちのイラン・イラク戦争で活躍します。ベトナムのサイゴン政権の崩壊後も同様で、中越戦争では、アメリカ製の兵器が、中国軍を撃破します。アフガンでも、一〇兆ドルという巨費を注ぎこんでいます。タリバンの手に渡った武器は、周辺諸国にも脅威になります。このように武器の移動は、大問題です。

ドイツは世界でも有数の武器輸出大国です。このあたりは国民はどう見ているのでしょう。日本は武器輸出三原則なるものを作って、やろうと思えば商売になるはずなのにやろうとしません。輸出しないから国内で使い切るしかなく、割高になって自衛隊は困っているという話もあります。原子力でない通常動力の潜水艦などは超一流のレベルですし、飛行艇をまともに作っているのは日本だけですから独壇場のはずですがＰＲしないので買い手が現れません。実はちょっと工夫すれば最先端の兵器に早変わりするものはたくさんあるのですが、それを言い出すと国内世論に叩かれる。言うだけでも抑止力になるのですが、そのことがわかっていない。今のＨ-ⅡＢロケットをちょっと改造すればＩＣＢＭ（大陸間弾道ミサイル）に転用できるし、「はやぶさ」を打ち上げたイプシロンは固体燃料ロケットですから燃料を注入する必要なくＩＲＢＭ（中距離弾道ミサイル）に転用できます。

潜水艦は「そうりゅう型」のメーカーの三菱重工や川崎重工に売り込みにかける意欲が低く、国が決めてくれれば従います、というスタンスで、初めから腰が引けている。実際「そうりゅう」型は、ＡＩＰ（Air Independent propulsion：非大気依存型推進）というシステムで、シュノーケルを使わずに、原潜以外では最大の長時間潜航能力を持っています。それにもかかわらず、買ってくれるはずだったオーストラリアはフランスの潜水艦に乗り換えてしまった（二〇一六年）。

日本の対極にあるのが、スウェーデン。武器は輸出しまくるが、いっさい輸入しない。日本では、永世中立国として、スウェーデンは人気がありますが、武装中立という立場がわかっていない。戦闘機や戦車など、主力兵器ばかりでなく、軍用バイクまで国産で賄っている。兵器を輸入に頼ると、将来その国と険悪になった場合、売ってもらえなくなる。ハリネズミのような中立国家なのです。

川口　ドイツ人も日本人と同様、平和主義者なので、武器輸出はけしからんと思っています。年に一回くらいはその実態がニュースになりますが、そのたびに非難の声があがる。ただ、日本と違うのは、メルケル首相や経済大臣などが中国に行くとき、四〇人くらい経済界のボスが同行し、どんどんあらゆる契約を取ってくることです。とにかく割り切り方があっぱれです。

国家が企業を守らない日本の悲劇

豊田　要するに日本は、官僚が民間を軽蔑しているので手を貸さないのです。かつて池田勇人がフランスのド・ゴール大統領から「トランジスタのセールスマン」と揶揄されたトラウマゆえかもしれません。余計な手助けをして、企業と癒着しているなどと勘ぐられたらかなわん、と。企業とタッグを組むドイツの政治家と比べると幼いんですよ。

十年ほど前、アメリカでプリウスの欠陥問題が起こったとき、日本政府は我関せずを貫いて国として助言も手助けもしませんでした。あのときは豊田章男社長がアメリカに行って涙ながらに演説をして収束したのですが、国の援護がない企業というのは孤立無援になってしまうということがよくわかりました。民間のことだからと、素知らぬ顔で高みの見物をしているのが日本という国で、国益ということをこれっぽっちも考えていない。トヨタが潰れたら日本はどうなってしまうか、ということを想像すらしなかったのです。基幹産業が揺らいだら日本は終わりのはずですが、民間の危機は民間に任せてしまっているのです。国益とか国の威信といったものに無関心であるのは異常なことではないですか。

川口　それに発信力もないので、注目もされない。菅首相のようにモゾモゾ言っているのでは何が言いたいのかがわからない。リーダーの役目というのは、国民に訴え、国民を一つにまとめることでしょう。オリンピックにしたって、世界が注目しているイベントなのだから、やると決めたら、皆が「よし、がんばろう」と思える言葉で発信してほしかった。それが何もなくて、小学生の棒読みみたいな感じで「国民の安心、安全」としか言わない。これでは国民のモヤモヤした気持ちを晴らすことはできません。

豊田　脅かすとか、心配させるとか、危機意識を煽るとか、そういう後ろ向きのことを言うのが政治家の良心だと勘違いしているのです。放射能の問題なども厳しく言えば、それが良心的なことだと思っているのではないですか。いつも感じるのですが、日本の政治家の発言は、ずっと後ろ向きのままです。チャーチルのようにとまでは言いませんが、国民を前向きに結束させるような力強さが欠けているのです。やはり発信力の乏しさでしょう。

川口　それはドイツもそうで、政治家はそのほうが保身になるのでしょうね。ドイツでも、コロナのデルタ株がすごく伸びているとか、感染者がこれだけ増えたというようなニュースばかりで、それに政治家がコメントをつけて便乗する。もう怖いぞ怖いぞと煽りまくりで、私からすると、今、選挙前ですから、難民問題とかエネルギー問題のような未解決の大問題から国民の目を逸らすための作戦としか思えません。先だっての西部大洪水の折にも、どの政治家も争うように現地に赴き、援助を約束している様子は、まさに洪水の政治利用に見えました。これは二〇〇二年の総選挙の直前に、エルベ川の大洪水があり、当時、劣勢だったシュレーダー首相（１９４４～）が積極的に援助に動き、逆転勝ちした前例にあやかりたいと思っているのです。そもそも、洪水の原因は、治水や河川増強を怠っていたという政策の失敗が大きいのに、皆で、気候温暖化のせいにしている。それで緑の党が点数を稼いでいることは、先ほどお話ししました。どこの国でも選挙前は国益よりも票と責任回避が先行します。

原発事故報道で常軌を逸していたドイツメディア

豊田　福島第一原発の事故ですが、日本中に恐怖が広がりました。私も、本業のＳＦ小説に出てくる未来エネルギーということで、日本中の原発すべてと、関連施設のほとんどを取材したことがありますが、どこでも、平和利用というスローガンにしがみついて、いわば盲信しているのに驚かされました。核爆弾はもちろんのこと、発電用の原子炉にしても、もともと原潜の動力として軍事用に開発されたもので、軍事利用、平和利用と分けられない性質のものです。事故のあと、放射能防護服はないわ、線量計はないわ、不備が露呈しました。比較的早い時期に訪日してくれたフランスのサルコジ大統領（当時）は、見かねて一万人分の防護衣の提供を申し出たくらいです。国連安保理の常任理事国は、五カ国ともに核兵器を保有しています。したがって、防護衣でも線量計でも、核戦争に備えて、十分すぎるくらい装備している。

このときのドイツの報道ぶりは常軌を逸していたそうですね。恐怖心を煽るというのはドイツメディアの常套手段なのでしょうか。こういったら失礼かもしれませんが、ヒトラーがユダヤ人を利用して恐怖を煽ったみたいなやり方を思い起こします。

川口　今のご発言は、ドイツでは大問題になります（笑）。誰かをヒトラーと比較したら、その人から訴えられても文句は言えない。でもおっしゃる通り、福島の後のドイツでの報道は、確かに過剰反応でした。ガイガーカウンターが売り切れたり、ドイツ大使館や公共テレビの東京支社を大阪に移したり。ルフトハンザもあっという間に運行を止めてしまった。

公共第二テレビでは、遠くから望遠レンズで撮った水素爆発の瞬間の映像を何度も繰り返し流した挙句、それではまだ迫力が足りないと思ったのか、ゴーッという擬音までつけました。結局、国民も怖いニュースが好きなのでしょうね。だから、メディアもやる。

恐怖の原体験が違う日独

豊田　恐怖に敏感なのは国防意識に直結しているのでしょうが、ドイツは大陸国家だから、アルザス・ロレーヌ地方のように戦争のたびに国境線が変わったり国籍が変わったりしている。ああいうことは日本にはないので、緊張感が違うというか、歴史上の経験が違う。

川口　それはもう絶対大きいです。日本は戦国時代と言っても内戦で、日本国がまるごと壊滅することはなかった。欧州はそんな危険が何百年も続いていて、今でも三十年戦争のトラウマを言う人がいますけど、自分を守ると言う国防意識が強くならざるをえなかったのでしょう。ただ、今はもうドイツの国民の間には、国防意識は全くと言って良いほど無くなっている。原発に対する恐怖は国防とは別です。だって原発を無くせば国は弱くなりますから。

豊田　日本の場合は、ただ悪いのは日本人で、日本人さえ身を慎んでいれば世界は平和になると、今でも思い込んでいます。自衛隊は志願制だし、最初に三五万人という数字を持ち出してアメリカが作らせようとしたときに、吉田茂は値切って「そんな大きな軍隊は作れない」としたわけです。

国境というものが、現実として認識できません。私の場合、対馬の最北端の自衛隊のレーダー基地を眺めたとき。五〇キロほど北に、韓国があるわけです。もう一つは、北海道にバイクでツーリングに行ったとき。海岸沿いの道から一六キロほどのところに、並行するような形で、国後島が続いているんです。わざわざ行かなければ国境を意識できないし、陸上で接しているわけではないから、危機感がつのるわけでもない。

川口　戦後、アメリカは、西ドイツに軍隊など持たせず、農業国にしておくつもりだったのですが、冷戦になってソ連が脅威となり、しかも、東ドイツのみならず、ドイツ全体が共産化しそうになり、あわてて西ドイツの強化に乗り出した。ドイツ連邦軍が作られたのは一九五五年で、徴兵制も敷きました。最終的にはベルリンが冷戦の前線になって、特に、一九七〇年代のシュミット首相（1918～2015）時代は、ソ連の中距離ミサイルに対抗して、パーシングⅡを配備したりと、軍事的緊張感はすごかったはずです。

平和を愛するけれど、国は愛さない

川口　でも今ではその頃の国防意識は消滅しました。徴兵制も停止になって、平和ボケは日本と同じくらい進行しています。去年の九月、ドイツでは何十年ぶりかの防災訓練をしましたが、それがひどいものでした。自慢の防災アプリはうまく機能せず、サイレンが壊れて鳴らなかったり、気づいたら、サイレン自体がなかったり……。うちの娘の一人が、ある州の役所の「危機管理」をやっていますが、その後、調査をしたところ、二〇〇〇年ごろに、それまであった防災機能がどんどん解除されてしまっていたということがわかったそうです。たぶん、一九九八年にＳＰＤのシュレーダー氏が緑の党と連立して政権を取り、彼らが「平和主義者」であったことも関係しているのでしょう。冷戦も終わったし、ということで、以来、ドイツは危機感がなくなりました。

若い人の間では軍というのは何か悪いものの象徴のようにもなっています。数年前より、ドイツ軍、特にエリート部隊の中に極右思想が蔓延(はびこ)っているということが問題になり、軍隊の存在自体が一層問題視されています。

ただ、徴兵制もない国で兵士になろうという人は、おそらく愛国心の持ち主であり、本来、国家はそういう人たちを必要としています。前述のドイツ軍のスキャンダルでは、確かに犯罪行為もあったため問題になったわけですが、それとは別に、私には、ドイツではすでに愛国心とか国防という観念自体が危険なものとしてみなされているように思えます。ドイツ人は平和を愛するけれど、国は愛さない。これって、すごい矛盾です。

PKOで一番危険だった自衛隊

豊田　国連軍としてドイツ人はアフガニスタンなどで実際に亡くなっています。日本は、PKOにしても、紛争地帯には派遣しないという国是があります。かつて、アフリカ某国へPKOが、派遣されたときは、自衛隊のAPC（装甲兵員輸送車）から、標準装備されているM－2重機関銃を、わざわざ取り外していったほどです。実際、その国では、ゲリラの活動もあり、紛争地域ではないとしたものの、治安はよくなかった。もし、自爆テロの車が、突っ込んできたら、どうするのか？　重機関銃の徹甲弾があれば、車のエンジンを撃ちぬけるから、自爆車両を阻止できる。実際には、むしろ、充分な武装に欠ける自衛隊員のほうに、死者が出かねない危険な状態だったのです。

そんな日本が、ひところ、国連の安保理常任理事国入りを目指したことがあります。これなど、噴飯ものでした。日本人の平和ボケは、こういうたとえ話をすれば、わかりやすいと思います。五大都市の警察署長会議があるとします。そこへ、第六の都市の署長が加入を申し込みます。ただし、うちは、詐欺、窃盗などは捕まえますが、強盗殺人など、凶悪犯は扱いません、こう言ったら、他の署長から、お前バカかと蔑まれるでしょう。国連には武力制裁規定があります。平和ボケの日本が、これに加わる勇気はないでしょう。最近は足並みがそろわないので、発令しにくいため、有志連合といったかたちでしか、国際紛争に介入できませんが、朝鮮戦争では国連軍が組織され、北朝鮮の侵略から韓国を救いました。日本が、安保理常任理事国になれるわけがありません。その点、ドイツは、有志連合の形で参加して、実際に戦闘行動をとり、戦死者も出しています。

そのあたりについてドイツ人はどのような反応なのですか。

兵隊に対する冷たい反応

川口　軍隊に対しては、ドイツ人はいつも非常に冷たい反応です。六月三十日に、ドイツ軍は、アフガニスタン北部の基地クンドゥースにいた最後の兵隊二六四人を引き上げた。ただ、この日、帰ってきたドイツ兵を誰も迎えなかったのです。政治家が駆けつけたわけでも、式典が催されたわけでもなし。兵隊は整列し、いつも通りの簡素な点呼をしただけ。その理由について尋ねられたアンネグレート・クランプ‐カレンバウアー国防相は、兵隊は一刻も早く家族に会いたかったからと説明しました。

アフガニスタン派兵の発端は、言うまでもなく二〇〇一年、米国での九・一一同時多発テロです。十一月には米国の主導で国際治安支援部隊が結成され、英国、フランス、カナダ、ドイツなどによるアフガニスタン支援ミッションが始まりました。日本の自衛隊も二〇一〇年までインド洋での給油活動に参加しています。

ドイツ軍は、当初、開発援助という名目で参加し、活動をインフラ整備や警察官の養成、医療、教育支援などという分野に止めるつもりでした。でも、ドイツ軍を追い出そうとしたタリバンの激しいテロ攻撃を受けるうちに、次第に戦闘の深みにはまっていき、やがて、戦闘状態であることを正式に認めざるを得なくなった。そのときようやく、ドイツ軍は戦える軍隊になったのです。

ただ、国民は最初のうちこそ戦争という言葉にショックを受けたものの、二〇一三年あたりからは、アフガニスタンは徐々に国民の視野からフェイドアウトしていったように思います。今でも国を守るために武器を持つことは妥当であるという世論にはなっていません。とにかく、戦地から帰ってくる兵隊に対するあの冷たさ、特に政治家の冷たさは異常です。送り出したのは政府なのに、ありがとうも、ご苦労さまもなかった。

ところがです。引き上げて一カ月ちょっとで、アフガニスタンがタリバンの手に落ちた。ドイツの民間人もまだ残っていたし、さらに問題なのは、ドイツ軍のために働いていた現地スタッフのアフガン人たちが、命の危険に晒されていることです。タリバンにしてみれば、敵国のために働いて人たちなので、見つかったら皆、処刑でしょう。だから、米軍や英軍は、撤退に備えてだいぶ前から、諜報員はもちろん、通訳もコックも、家族もろとも、脱出させて連れ帰っていました。ところがドイツ軍はというと、政府の許可を得られず、ほとんどを置き去りにしており、それが大問題になっています。ドイツ政府が引き取りを渋った理由は、また、二〇一五年のような難民の波を誘発したくなかったからと言いますから、人道大国の面目も潰れかけています。今、政府は責任回避に必死で、他国や諜報機関も含めて皆がアフガニスタンの状況判断を誤ったのだと言っています。

豊田　日本も、アフガン在留邦人と関係者の救出に、自衛隊機を派遣しました。第一陣は、国産C-2輸送機です。ほかでも触れましたが、以前のC-1輸送機は、侵略に行けないようにと、ペイロードを八トン積んで一五〇〇キロ足らずしか飛べないという設計でしたが、最新型のC-2は充分アフガンまで行けます。第二陣は、アメリカ製のC-130ハーキュリーズ輸送機二機です。これは、ギリシャ神話の英雄ハーキュリーズ（ヘラクレス）にちなんだ命名で、各国で使われていますが、信頼性は高いものの、ジェットではなく、ターボプロップエンジンで、積載量、スピードともにC-2には劣ります。整備上か、なにかの事情があったのでしょうが、なぜC-2三機にしなかったのか。

川口　ベルリン近郊に、アフガニスタンで戦死したドイツ兵のために作られた「記憶の森」というドイツ軍の施設があります。足の便が悪く、車がないと行きにくい場所で、四五〇〇平方メートルに及ぶ敷地は厳重に警戒され、入場には連邦軍の事前の許可が要ります。私がここを訪れたのは二〇一七年の七月で、自らも五回の外国任務を経験したという陸軍上級曹長が案内してくれました。中には、自然な林の姿を残した風景が眼前に開け、その中を一五〇メートルのまっすぐな道が貫き、左右に記念碑が配置されている。その日のことを、今、思い返してみても、そこに漂っていた普段とは違う異質な静寂がはっきりと蘇ってきます。そんな場所があること自体、多くの人は知らないようですが、案内してくれた兵士は、ここを一般開放していない理由の一つとして、軍人と遺族にとっての大切な場所を、過激な反戦活動家らに汚される懸念を挙げていましたから、つまり、「記憶の森」は世間の目から隠されていたとも言えるわけです。

後で、そこに祀られていた戦死者の話をすると、娘の一人は、「志願して戦争に行ったのだから、戦死するのも自業自得」みたいなことを言いました。ドイツの大学は左翼の巣窟のような場所で、そのとき、そういえば娘の大学の階段の踊り場にも、女性革命家ローザ・ルクセンブルグの言葉がスプレーで吹きつけてあったことを思い出しました。いずれにせよ、政治家だけでなく、ドイツの若者も、兵士に対する感謝の念などはないようです。これも、日本とドイツの共通点の一つかもしれません。

豊田　ただ、ドイツが安全保障に関して、日本より遥かに進んでいる分野があります。それは、テロ対策です。西ドイツ（当時）は、ミュンヒェン・オリンピックで、アラブ系のテロに遭遇し、犠牲者を出してから、対テロ部隊を整備しました。Ｇｓｇ－９（Grenzschutzgruppe　国境警備隊第九グループ）です。ドイツにも、赤い旅団、バーダーマインホフなど、テロ組織がありましたが、Ｇｓｇ－９のおかげで、やがて影を潜めました。日本の警視庁も、対テロ部隊を組織する必要が生じたため、西ドイツに留学生を派遣し、訓練を受けさせました。現在も、警視庁のＳＡＴ（特殊急襲部隊）は、すっかりドイツ式で、装備もドイツのＨ＆Ｋ社のＭＰ５サブマシンガンを採用しています。

第4章 「戦争責任」という呪縛

自国の歴史を切り離すことができるのか

豊田　日本でも知らない人のいないほど有名な、「荒れ野の40年」と題された一九八五年のヴァイツゼッカー元大統領（1920～2015）の演説――あれをドイツ人はどう解釈しているのでしょうか。「過去に目を閉ざす者は、結局のところ未来に盲目になる」という、例の演説ですが、反省好きな日本人には、ぴったりで、たいへん人気があります。

朝日新聞や中日新聞は、この演説をひきあいに出して「ドイツ人は徹底的に反省したけれど、日本人はまだまだ反省が足りない」と、今でもよく言います。さらに、韓国は鬼の首でも取ったような勢いで、これに飛びつきました。けれどもドイツと日本とではあの大戦中にやったことの大きさ、罪のヴォリュームがまるで違っていますよね。ドイツは人類の存在に対して犯したことがすさまじかった。アウシュビッツなど数々の蛮行があるし、ヒトラー自身が自らを神のように扱って、自分がいなければドイツ自体がありえないと狂信していたわけでしょう。犯した罪の凄まじさがまるで違います。日本の場合は本土決戦の前に降伏してしまったわけで、行きつくところまでは行っていない。ヴァイツゼッカーの一言で免責というわけにはいかないと思えるのですが。

川口　ヴァイツゼッカー氏は、ドイツ国民がヒトラーのプロパガンダに引っかかって罪を犯してしまったと言っているのです。ただ、ヴァイツゼッカー氏が敗戦四十周年の日、これは一九八五年五月八日ですが、その日に当時の首都のボンの議会で行ったスピーチは、懺悔と言えるような謙虚なものでした。ナチの悪行を、これでもか、これでもかというほど挙げて、忘れてはいけないというような……。

ところが、数年後の来日のスピーチでは、それがなぜかガラッと変わっているのですね。ここでは、ドイツ人が「戦争の犠牲者であった」となります。悪いのはヒトラーであり、国民はそれに騙されたことを深く反省した。そして、その罪は否定できない大きなものだから、「忘れてはいけない」と。

朝日新聞は「ドイツは謝罪したのに日本はしていない」と十年一日のごとく攻撃してきますが、ヴァイツゼッカー氏の演説の中には、明確なごめんなさいはありますか？　よくわかりません。それに、たとえあったとしても、ドイツ人の謝罪というのは自分たちの罪よりも、ヒトラーの罪を代わりにお詫びしますと言ったニュアンスが強いように感じます。

また、ヴァイツゼッカー氏は、十二年にわたるナチズムの支配はドイツの歴史における異常な一時期であり、断絶であったのに、日本の場合はむしろ歴史上の連続性がはっきり確認できるとして、日本が宗教的な基盤や天皇制を維持したことが、あたかも悪いように言っています。それに対して西尾幹二先生は、日本の歴史の連続性はむしろ幸運だとおっしゃっていますが、私もその通りだと思います。いずれにせよ、ここに至ってドイツの歴史は、ヒトラーの前と後で、完全に分断されることになり、その考え方がドイツで次第に広まっていきました。確かにこうでも言わなければ、ドイツ人は戦後国際社会で生きてこられなかった、という点は否めないでしょう。

しかし、民族は子々孫々と続いていくもので、ある一時期の自国の歴史を切り取ることは不可能です。これは民族としての一貫した歴史を放棄することにほかなりません。しかし、ヴァイツゼッカー氏は世界中で広く尊敬されています。

普通のドイツ人は、公の場でヒトラー関連の話をしないし、また、する機会もない。したとしても、歴史の一幕に過ぎず、それ以上のテーマにはならない。飽くなき追及が行われているのは、むしろ米国、英国、日本です。

ナチスを連想させる理由で挙手が変形

川口　これらの国々では、ナチスについての緘口令が敷かれていない。三島由紀夫の作品には、「わが友ヒトラー」などというのもあります。

ドイツではナチスのマーク＝鉤十字そのものも禁じられています。、日本でヒトラー関係の本の表紙には、デザインとして堂々と鉤十字が使ってあるものが多いのですが、ドイツ人はそれを見るとすごくびっくりします。以前、子供をお稽古事に連れて行って、待っている間にヒトラー関連の本を読んでいたとき、戻ってきた子供が「ママ、そんなの外で読んじゃだめ」と慌てました。うっかりしていましたが、これはおそらく刑法に引っかかります。

豊田　触らぬ神に祟りなし？

川口　ドイツではヒトラー風の挙手、つまり、日本で普通に行われている挙手ですが、それもいけない。ハイル・ヒトラーの敬礼を連想させるから。知り合いの日本人教授はバス停で乗るバスが来たので手を挙げたら、隣の人に注意されたとか。嘘のような本当の話です。

豊田　日本の場合は、有史以来ずうっと連綿と続いてきた日本という国があのときほんの一時的におかしくなってしまったと考えているのです。そのため、日本人すべての責任として、「一億総懺悔」ということになりました。ドイツと違って、国家補償という形の償いを選んだ。韓国とは日韓基本条約を結び、当時一八億ドルしかなかった外貨準備のなかから、実に五億ドルという資金を提供した。また、今日の中国の経済発展を助けたのも日本です。

　ドイツの場合は「あれは第三帝国という『別の国』がやったことであって、今のドイツとはつながらない」と整理してしまっているのではないですか。別の歴史、ということにして無理やり納得することで心の平衡を保っている。戦後、生き残った者たちが正気を維持するためにはそれしかなかったのかもしれませんが。

川口　それはあります。そのあたりが正解なのかもしれません。けれどもそんなに遠い昔のことではないですよね。何世紀も前の話ではなくて、自分のお父さんとかおじいさんが関わっていた時代の話ですから、日常の会話の中で聞いてはいたはずなんです。でもそれを表に出すことはしなかった。日本人なら父親が戦争に行って何をしたにせよ、その父親の延長線上に今の自分がいるというのは当たり前のことですけれども、ドイツ人の場合はきっぱり切ってしまったのです。

九十六歳の老人を生贄に裁く偽善

豊田　私はまだ戦争中だった幼稚園のときに、子供心ながら将来飛行機に乗ってアメリカをやっつけてやろうと本気で思っていました。そういう過去の自分を否定はしていません。日本が敗けていいと思っていた人はいませんから、始まった戦争には協力するのがごく自然な感情で、あの頃の自分と戦後の自分を「切る」なんてことはできはしないのですが、ドイツ人はそこがちょっと違うということですか。

川口　たとえばドイツの青少年はヒトラーユーゲントにみんな入っていました。入っていたのは事実ですから隠しようはありませんが、ヒトラーユーゲントという組織があったことが悪いのであって自分は入らなければいけなかった、あるいは、あんなところに入った自分はなんとバカだったんだろうという論理になるのでしょうか。六〇年代になってドイツでは、若者が親の世代を弾劾する、凄まじい世代間闘争が起こったと聞きました。また、ホロコーストに関しては時効を作っていないため、今でも時々、今年九十六歳などという人が重罪犯として裁判に引っ張り出されたりする。アウシュビッツで帳簿係りだったとか炊事係りだったという、当時は二十歳にもならなかった人間が、車椅子に乗って連れてこられ、裁判官が二時間もかかって説教のような判決文を読んで、もちろん有罪です。「あなたにだって自分で考える頭はあったはずだ。あなたのような人がいたからああいう悲劇が起ったのだ」と。

豊田　だとするとやはり戦争責任というものがあり、ナチスの悪夢からは解放されていないということになるのではありませんか。

川口　というよりも、結局その老人は生贄みたいなもので、それを見た人は自分は善人だと思って安心する。でも、本当は、そんな無名の老人よりもっと大物のナチで、戦後、経済界で成功したり名士になって生き延びた人はたくさんいるのです。

私が日本人だからでしょうか、若い帳簿係りだとかコックが、何万人もの殺人幇助罪で裁かれるのはどうしても腑に落ちないので、親しいドイツ人に聞いたことがあるんです、このことをどう思う？　って。するとみんながみんな「それは仕方がない。やったのだから、あそこにいたのだから」と答えるのです。まるで他人事みたいに、異口同音にそう言ってきます。

戦後教育の中で、そういうふうに刷り込まれているからでしょうか。自分も当時生まれていたら、あっち側に行ったかもしれないとは夢にも思わない。あっち側の人とこっち側の人という教育が、見事に成功したという感じがします。

BC級戦犯が裁かれていないドイツ

豊田　ナチス親衛隊のダス・ライヒ師団などは、フランスから撤退するときに村ごと焼き尽くすような酷いことをやっています。村人を電柱に吊るして皆殺しにするような、およそ信じられない蛮行ですが、あれだって戦後になって指揮官しか処刑されていません。兵士はみんな一般社会に戻ってしまって戦争犯罪は問われない。極東国際軍事裁判のBC級犯罪に相当するものがないのは、ニュルンベルク裁判の対象がナチスとホロコーストだけだったからですね。トップだけが断罪されたのですが、一線の兵士たちは生き延びて戦後社会に溶け込んでいった、と。

しかし追及する側はそれでは済まず、イスラエルのモサドやサイモン・ウィーゼンタール・センターのような、ホロコーストの原罪のようなものを徹底的にえぐり出して白日の下に晒す組織があるのですね。

二〇一五年、アウシュビッツをソ連軍が解放して七十年目の年にベルリンで犠牲者の追悼式典がありました。そこにはやはり九〇代になっている元収容者の生き残りの人たちが招かれて証言をしています。元収容者を探し出すのも、収容所の帳簿係りを探し出すのも同じ動機からですね。あなた方は忘れたかもしれないけれど、私たちは覚えています。忘れてはいませんよというアピールなのでしょう。

川口 でもあと数年で、いくらなんでも「罪人」はもういなくなるわけです。それもあって、今ドイツ政府がすごく熱心にやっているのがErinnerungskultur、「記憶の文化」という政策です。忘れない文化。新造語です。「反省し続けるドイツ人」というのは、どこか切り札になっているところがあります。だから、忘れてはいけない。でも、放っておくと、つい忘れちゃう。

主語がない広島の原爆碑碑文

豊田 日本人だって、すぐ忘れます。先の戦争をドイツ人のように「第三帝国」という他の国がやったこととまでは割り切っていませんが、「軍部の暴走」で済ませた面があるし、逆にいいことも忘れます。韓日問題にしても、半島に近代化をもたらしたことや、インフラを整備したことなど、善政を布いたことも忘れています。

忘れるといえば、原爆を落とされたこともそうです。もっと恨みがましくてもおかしくないのに、アメリカを非難しません。

広島の原爆の碑にある碑文――「安らかに眠ってください。過ちは繰り返しませぬから」には主語がありません。過ちを犯したのは誰なのか、日本なのかアメリカなのか、肝心のところがわからなくしています。

川口　英語でもドイツ語でも、主語のない文は作れないので、あの文章を外国語に訳すには、誰が過ちは繰り返さないと言っているのか、何か主語を入れなくてはならない。

豊田　「私は原爆を落とされるような過ちは二度としません。落とす側に回りましょう」とも読めてしまう可能性があります。

川口　あえて言えば主語は「人類」なのでしょうが、そのあたりの微妙な感じは日本人にしかわかりません。戦争責任がどこにあるのか、結局あいまいなままで。

口を噤(つぐ)む、ということで言えば、ドイツ人は戦争の話はほとんどしません。年輩の人に、戦争中は何をしていたのか、楽しかったことはあるかと聞いても、答えは返ってこない。親戚の集まりのような席でさえ、戦争の話が話題に出ることがありません。一度だけ、当時十四、五歳ぐらいだった人に、授業の代わりの勤労奉仕で高射砲を扱わせてもらって楽しかったという話は聞いたことがありますが、それぐらいですね。

戦争を語らないドイツ人

豊田　旧軍の関係者が存命のころは、日本だとホテルの宴会場で戦友会をやったりしていました。私事ですが、義兄は満州の関東軍（現・東北地区）で、工兵中尉でしたから、帰国後、県庁職員として働いていましたが、戦友会に出た話を聞かせてくれました。母方の叔父は、一人は戦病死しましたが、もう一人は軍医でニューギニア戦線にいたため、日本へ帰国したのは戦後二年目になってからでした。この叔父からは、戦争の話をあれこれ聞かされました。大隊長も中隊長も戦死してしまい、階級上は自分が指揮を取らなければならなくなった。しかし、もともと医者だから、戦争のことはわからない。そこで、ジャングルの奥へ奥へと部下を率いて逃げこんだ。サルやトカゲも食ったそうです。米軍の投降勧告ビラを見て、部下を率いて降伏したのが、戦後一年以上も経ったとき。叔父の家で、戦友会が開かれた場に、居合わせたことがあります。皆口々に、無事で帰国でき今日あるのは、隊長どののおかげだと、感謝していました。もし、職業軍人なら、全員が玉砕していたでしょう。子供心に感心しました。

ああいうのはドイツではなかったのですか。

川口　少なくとも私は聞いたことがありません。

ドイツ人は理知的なのか狂信的なのか

豊田　日本人からするとドイツの国民性は、整然としていて理知的で冷静に物事に対処する人たちに見えるのですが、ナチスの文献を読むと、なんであんなにオカルト的な、ファナティックなものに引きずられてしまったのだろうと、不思議に思うことがあります。

ヒムラーなんかは一種の新興宗教みたいなものを作って、アーリア人の起源にまつわるものを考古学的にむりやり発掘させたりして、オカルト的な印象が拭えません。キリストの処刑に使われた「ロンギヌスの槍」の探索する指令を出したり、と。この槍を手に入れた者は、世界を支配するという伝説があるそうです。これなど、ドイツ人の合理性とどうしても似合いません。普通の日本人が持っているイメージとずいぶん違うのです。理詰めできちんとした民族だと思っていたのですが、占いとか超自然現象とか、そのへんのいいかげんなものにも魅せられる人たちなのでしょうか。

川口　ドイツ人のどの層を見ているかによるのではないですか。エリートたちはすごく理知的です。善良かどうかはわかりません。中間層の大衆は善良できっちりした人たちが多い。あとはどうしようもない人たちがいてかなりはっきり分かれます。日本だったら底辺がわりとそろっていますが、ドイツは優秀な人はすごく優秀。けれども下のほうには読み書き計算が不自由な人も結構います。これは初等教育の差ですね。

なんでナチスに引っ張られたかというと、優秀な人もそうでない人も根っこのところで引っ張られる素質を持っていたのだと思います。「右向け右」と言われたら本当に右を向いてしまう。「ユダヤ人が悪いのだ」というナチスのアピールで全員が一丸になってしまいましたが、その傾向は実は今もあるような気がします。

例えば、道徳的にいいことだ、人道上いいことだとなるとそれで一丸になってしまう。原発を停めたときもそうでした。再生化エネルギーで国を回していくのが理想だという理念で一丸となった。難民に際してはこの人たちを助けるのが人道的だという理念で一丸となりました。ホロコーストを犯してしまい世界中から非人道的だと言われた負い目があるから、正義を全うしたいという気持ちは人一倍強いのでしょうが、一丸になる才能みたいなものがあるのではないでしょうか。反対する少数派をシャットアウトする、疎外して排除してしまう。それは当時も今も同じ。そして、そのとき、すごいエネルギーが出るのも同じ。

「想定外は許されない」は人間の驕り

豊田　それは日本にもあることです。たとえば、三・一一の大震災、大津波で、日本の世論は、一変しました。「想定外は許されない」が、絶対的なスローガンになってしまい、誰も反対できない雰囲気が、蔓延してしまいました。常識的に考えても、たかが人間が、世の中の森羅万象(しんらばんしょう)をすべて、想定できるとするほうが、人間の驕(おご)りでしょう。山本七平氏が、「空気」と呼んだように、その場の空気が、すべてを支配すると、誰も逆らえなくなります。日本では、「空気が読めない」は、マイナスの評価になりますが、議論好きなドイツ人が、やはり少数意見を排除してしまうのは、不思議ですね。「右向け右！」と命令されると、みんな従ってしまうあたり、日本とドイツはその点で似ていますが、どこか、それに至るプロセスが違うような気がします。

第5章

「後進国」だった海洋国家と大陸国家

十九世紀に「後進国」だった日本とドイツ

豊田　十九世紀に後進国だったドイツ、イタリア、日本はその後の発展の仕方がよく似ています。どちらも十九世紀の後半近くにならないと国家統一が成されませんでした。イギリスやフランスは中央集権国家として完全に成立していましたが、日本は各地に大名がいて、将軍家は大名連合の頭みたいなもので、地方分権の領国の集まり。ドイツはプロイセン、バイエルンなどのそれぞれの君主国が独自の法律を施行し、独自の貨幣を鋳造、独自の軍備を備えて税金を徴収していました。

一八六二年になってプロイセン王ヴィルヘルム一世はビスマルク（1815〜1898）を首相に任命し、プロイセンの指導の下にドイツ統一を計ろうと北ドイツ連邦を組織します。一八七〇年の普仏戦争でフランスに勝利し、南ドイツの諸邦国をプロイセンの支配下に置いて、七一年に二五の邦国と直轄領を糾合して国家統一を果たすのですね。イタリアはヴィットリオ・エマヌエーレ二世とガリバルディが統一を果たしますが、いずれもほぼ明治維新と同じ時期です。この三国が、のちに枢軸を結成するのは、単なる偶然とは思えません。

川口　ドイツ統一が遅れたのは、神聖ローマ帝国の版図内にあったことも大きいでしょう。多くの国がひしめいていたけれど、これといった大国がなかった。私は、神聖ローマ帝国というのは今のEUとそっくりで、言葉も違えば、文化も国民性も違い、軍隊も個別で、それを何となく緩くまとめていたという感じだったと思います。大国はハプスブルグ家のオーストリア帝国だったのです。なのに、ビスマルクが出てきて、プロイセンが強国となり、オーストリアを排除してドイツを統一してしまった。オーストリア人にとってみれば、あり得ない展開だった。彼らは今でもドイツ人が嫌いです。

豊田　でも一九三八年のヒトラーのオーストリア併合（アンシュルス）のときは歓迎されました。これは、第一次大戦の後遺症でしょうか？　ハプスブルグ家のオーストリア－ハンガリー帝国が瓦解した後だけに、民族的アイデンティティーを共通とするドイツに感情移入できたわけでしょうね。

川口　それに加えて、あの頃のヒトラーのイメージは後年私たちが抱いているものとは全然違っていたのだと思います。ナチは宣伝も上手だった。アンシュルスとは元来、結合という意味合いが強い言葉です。

三国同盟に対する日独国民の温度差

豊田　歴史のいたずらといいますか、国家統一が遅れた日独伊の三国が三国同盟を結びます。日本にとっては三国同盟が一番の岐路でした。少数派の異論を許さないという点で、朝日新聞が音頭を取ったようなかたちで、三国同盟は、どんどん進行してしまいました。ドイツは信用ならないとして、反対する人もいたのですが黙殺されて。ついに対米英では、引き返し不能の領域に入った。しかし、独ソ不可侵条約を無視して、ヒトラーが対ソ戦に踏み切った時点が、最後のチャンスだったかもしれません。もともと独ソ不可侵条約は、防共協定に違反するわけですから、ドイツの裏切り行為のようなものです。平沼首相の名言（迷言）が、今も話題になります。「複雑怪奇」という感想ですが、総理大臣がそういう評論家みたいなことを言うのが、そもそもおかしい。同盟国の日本には、何の通告もなかったのだから、あの時点で三国同盟の廃棄という選択肢もありえたでしょう。

しかし、ドイツ人は日本人ほどに三国同盟のことは知らないようですね。日本人はわりとドイツ贔屓だからよくこんな話を聞きますね。神話というか小噺というか、ドイツに行って日本人だとわかると「この次に戦争するときはイタリア抜きでやろうな」と声をかけられる……。

この話が未だに日本で冗談まじりに話されることがあります。ドイツ人も三国同盟のことを誰もが知っている証拠なのでしょうか。

川口　日本にいるドイツの学生がしょっちゅう聞かされるそうです。でもドイツではそんな話、私は聞いたことはありません。ドイツに対する日本人の思い入れは、残念ながら片思い。日本人がドイツを思っているほど、ドイツ人は日本のことを気にかけてはいません。今、日本といえば、人気があるのはアニメ、マンガ、寿司、ラーメン、ニンテンドーですか。

日本のドイツへの片思い

豊田　要するに日本もドイツもイタリアも「遅れてきた持たざる国」で、遅ればせながら空いている土地を探して植民地支配をやろうとした。日本は台湾と朝鮮ですが、正確にいうとこれは植民地ではなくて併合。国土の一部にした。ドイツは南洋諸島や青島、イタリアはエチオピアとか、今のソマリア。どこもあまり役に立ちそうな場所ではないです。このあたりは三国に共通しています。先に占領された場所に食い入ることはできないので仕方ありませんでした。

フランスはナイジェリアとかベトナムとか大きい所を取っています。オランダもインドネシアを。早くにまとまった植民地を確保して時間をかけて経営していれば収穫も得られるでしょうが、遅れて入った国は植民地収奪の果実を得ないままの持ち出しで終わってしまいます。資本投下ばかりで自国の利益にはなかなかなりません。

台湾は台湾製糖があったから少しは儲けましたが、朝鮮は発電所や鉄道などのインフラを整備して完全に持ち出しです。北朝鮮に造った水豊ダムという東洋一の水力発電用ダムは昭和十九年の完成です。戦争の末期でも律儀に大工事を完成させるのがいかにも日本人ですが、朝鮮戦争で米軍の爆撃に遭っても壊れなかったそうです。

もし仮にあと五十年も統治していたら実ったかもしれませんが、後から植民地経営に参画した国は、敗戦で全部チャラになってしまったのです。

日本はそんな、遅れてきた帝国主義国の仲間としてドイツに感情移入したけれど、ドイツは日本に感情移入したという事実はないのではないですか。

ドイツは中国を畏敬していたのか

川口　感情移入はないような……。東洋人を見下していたかどうかわかりませんが、無意識のうちに潜在的な優越感はあったでしょう。今でさえ、日本に来たことがあるとか日本人と親しくしているドイツ人は日本が大好きという人も多いけれど、日本を深く知らない普通のドイツ人は日本を意識する機会もあまりありません。

ただ中国に関しては畏怖の念みたいなものがあって、凄い国だと思っている人が多い。怖ろしく長い歴史とか、凄まじい興亡とか、あのエネルギーとかを全部ひっくるめての畏怖の念。

それが今のドイツの中国へのすり寄りにつながっている気がします。もちろん大消費国ということもありますが、加えてものすごく手強い国だという感覚があるから自ずと対処する姿勢も決まってくる。少なくとも今の日本に対しては、恐い国、強い国という意識はないでしょう。時間に正確で街が清潔で、きちんといろんなことが回っている国というイメージはありますけど、考えていることがよくわからないし、恐れるような国ではないという意識です。

ヨーロッパ人は、強い者にはちゃんと一歩退くところがあります。元のモンゴル軍に蹂躙された記憶が残っているのかもしれません。一方、現代の「強さの証明」は軍事力もそうですが、発信力でもあります。日本ももっと国際社会に自国の立場や主張を発信していかないと、どうしてもなめられてしまう。その意味では日本より韓国のほうが上で、韓国ロビーの活躍はドイツではすごいです。

豊田　韓国を見習えとは言いませんが、日本は発信能力を過小評価してはいけません。日本人は「オレがオレが」みたいなことを言うと逆に割引いて聞かれてしまいますが、「オレがオレが」を言わないと生きていけないのがグローバル・スタンダードですからね。

日本を愛したドイツ駐在武官

豊田　三国同盟をドイツ人は知らない人が多いということですが、学校教育の中では第三帝国時代の歴史をどう教えているのですか。

川口　事実についてはきちんと教えています。ただ大不況に苦しんだワイマール共和国の失業問題をヒトラーが解決した、という書き方はしていないはずです。ヒトラーが偉大だと思わせるような記述はありえません。なぜあの人が出てきてしまったか。そういう観点からの記述はきちんとなされています。ベルサイユ条約の過剰な条件下、ものすごいインフレが起こって共産党とナチスがその中から台頭し、平和的なワイマール時代の諸政党を左の共産党と右のナチスが追い詰めていって最後には……という説明はしています。

豊田　三国同盟締結に際しては、ヒトラーとも縁の深いカール・エルンスト・ハウスホーファー（１８６９〜１９４６）という人がいます。ヒトラーはアーリア人種の優越性という虚構を大々的に広めたくらいですから完全な人種主義者です。同じヨーロッパ人ですら、ポーランド人、ロシア人などのスラブ系民族を劣等民族扱いしてはばからなかった人間で、アジア人については虫けらほどにも考えていません。そのヒトラーがなぜ三国同盟を結んだのか。ハウスホーファーはドイツ駐在武官として明治末期に日本に駐在し、各地を旅し、日本の風物、文化に深い理解と愛情を持っていました。彼は少将で退役後、ドイツ地政学（ゲオポリティーク）の始祖とされる学者になります。博士論文は「日本の軍事力」でした。教え子に後にナチス副総裁になるルドルフ・ヘスがいて、その紹介でヒトラーを知ります。ヒトラーがミュンヘン一揆の失敗でランツベルク刑務所にいたときにしばしば訪れて地政学の講義をしています。ハウスホーファーの持論「生存圏（レーベンスラウム）」という概念にヒトラーは大いに触発され、ナチスの領土拡大の中心理論となっていきます。「生存圏」にいかに魅了されたかは、『我が闘争』を読むとわかります。ハウスホーファー自身はドイツ学士院の会長にもなるれっきとした学者ですから、生半可な理解で「生存圏」の地政学のいいとこどりをするヒトラーを好まなかったそうで、二人はやがて疎遠になっていくのですが。

ハウスホーファーは独裁者ヒトラーに唯一直言できる学者で、彼の提言を容れてしぶしぶながらも日本との同盟を結んだのです。おそらく日本人を、例外的に名誉アーリア人くらいに思っていたのでしょう。ハウスホーファーはナチス崩壊の翌年、日本古式に従って割腹自殺を遂げます。

戦前ドイツにいた日本人は皆がハウスホーファーの世話になって彼の家は私設日本大使館のようだったそうです。

ヒトラーがらみの言葉はつかえない

川口　ハウスホーファーなんて聞いたこともなかった。それも切腹ときては、ドイツでは狂信的なヒトラー賛美者として闇に葬られたのではないでしょうか。レーベンスラウムはとても的確な言葉ですが、ヒトラーがらみで有名になった言葉は、戦後のドイツでは使いません。ナチスが推し進めたオイゲーニク（Eugenik：優生学）も、身障者を殺したオイタナズィー（Euthanasie：安楽死）もそうです。

豊田　ダーウィンは「自然淘汰」（natural selection）という言葉しか使っていませんが、スペンサーが社会進化論という形に持っていって、短いスパンで人類に当てはめて「適者生存」（survival of the fittest）という考え方を打ち出しました。ナチスはそれに飛びついたわけで、曲解したのか、意図的に拡大解釈したのか、身体障害者、精神障碍者などを、あたかも劣った遺伝子を持つかのように決めつけて、後世に残さないために、殺してしまうことになります。

意図的に拡大解釈したナチスの「社会進化論」の影響は実は日本にも入ってきて、優生学の考えが極端に信奉され、優生保護法の形を借りて機能していました。劣悪な遺伝子を残さないためとして、断種手術などの処置をしていました。このことが、今、国家補償を求める訴訟になっているのは、最近のトピックです。優生学というのも、ナチスの置き土産のようなものではないでしょうか。置き土産といえば、わたしは、「国民学校」の最後の入学者です。それまで尋常小学校と呼んでいた初等学校を、ナチスのVolksschuleの翻訳に変えてしまったのです。

ナチス時代の発想力

豊田　一方、ロケットやミサイルにしろ、ジェット戦闘機にしろ、ユダヤ人が発明したにせよナチスの時代に生み出されたものはすごいものがあります。あの発想力だけはすごいと思います。松本零士さんと話していて、ドイツの兵器で何が一番好きかで意見が一致したことがある。ユンカース88という急降下爆撃機の対戦車モデル。普通は機関砲は機体の前方を向いていてについているはずですが、これは七五ミリ対戦車砲が機体の下向き縦(たて)に付いていて、敵の戦車の上になるべく低速で近づいて上から戦車をズドンと撃つわけです。戦車の装甲は、前後左右の攻撃に対するもので、垂直に上から攻撃されることは、想定外です。戦車を上下に串刺しにしようなんて。こんな変なことを考えるのが、ドイツ人。

しかも、この爆撃機は、サイレンを鳴らしながら急降下してくる。これは敵を恐怖ですくませるのが目的です。サイレンで敵が逃げたら、敵を追い散らせたことで成功、と。この発想もすごいです。日本人の考えることと桁が違う。

有名なV1(パルスジェット)、V2(ロケット)も、ドイツが先鞭をつけた兵器です。また、海上自衛隊の潜水艦「そうりゅう」のスターリングエンジンも、ドイツが実験的に先鞭をつけた技術です。ゼロ戦の優秀さは有名ですが、これは既存の技術の延長線上のものです。その点、世界のジェット戦闘機、メッサーシュミット262シュヴァルベは、前代未聞のものです。

川口　シュヴァルベ＝つばめですね。

豊田　ヒトラーはそれに爆弾を積んで爆撃機として使ってしまいました。ジェット戦闘機ですからスピードに物を言わせて敵機を迎撃していれば連合軍の戦闘機なんか全然問題にならないはずなのに、爆弾を積まされて速度がでなくて意味を成さなくなった。後で気づいて戦闘機に戻しますが、時すでに遅しで、戦争兵器の発想力とか科学力とかのレベルは超越しているのだけれど、使い方がまずかった。

特攻隊を評価できないドイツ人

川口　そういった話は、「ヒトラーの時代はすごかった」という話になるので、普通はしません。人前で話すことではない。でも、本屋に行けば、本は常にたくさん出ています。そういう意味では、かなり歪んでいるかもしれません。

反対に、ヒトラー暗殺計画を立てたシュタウフェンベルク（１９０７〜１９４４）などは英雄です。映画『ワルキューレ』でトム・クルーズが演じた貴族出身の軍人ですね。シュトゥットガルトには資料館もあります。そういう人について話し、ナチス時代を振り返るのはいいのですが、兵器を通して戦争を懐かしむというのは、私の周りでは一度も聞いたことがない。日本では「ゼロ戦がすごかった」という人もたくさんいますが、ドイツでは信じられないことです。

私の友人の、非常に教養のある大学の先生との会話で、日本の特攻隊の話が出たことがあります。彼女は一言、「信じられない。しかもそれを英雄と見なすなんて」と。

でも、ドイツにも当時、日本の特攻隊と同じように、国のために死んでいった兵士がたくさんいたのです。それをいうと、「そうだけど」と口ごもって話はそこで終わり。いつもそうです。日本人なら、特攻隊の出撃基地のあった知覧の記念館で出撃前の兵隊の手紙を読むと、皆が涙します。ドイツではすべて封印です。

豊田　私は、知覧の特攻記念館に行ったとき、帰りがけ涙が止まりませんでした。しばしば外国では、自爆テロとのアナロジーが語られたりするのですが、これは違う。死ねば天国へ行けるなどと狂信して、死におもむくわけではない。父母や愛する人や国を守るためなどと、ふつうの若者が、醒めた意識で自分が死んでいく理由を探しながら、特攻に向かうわけです。崇高ともいえる自己犠牲です。

日本人は戦争についてたしかに深く反省はしていますが、ゼロ戦はゼロ戦でその優秀性は認めているし、山本五十六は評価している。けれどドイツは違うということですね。

ヴェルナー・フォン・ブラウン（1912～1977）の作ったロケット・V2号とか卓越した兵器を誇りに思っている人はいるはずですが口にはしません。

川口　陸軍元帥のロンメルはヒトラーに殺されましたから、やはり英雄扱いです。ロンメルはナチスのためにアフリカ戦線で戦ったのですが、ヒトラーの敵はみんな英雄で、すごくわかりやすい構図です。ロンメルの息子は戦後シュトゥットガルトの市長を長くやっていて、もう亡くなりましたが、とにかくすごい人気でした。

豊田　ドイツ人は決まったことをきちんと守ります。ヒトラーが政権を取ると、形の上ではそれまでのドイツ国軍はヒトラーの指揮下に入ります。将官などは「バイエルンの伍長が……」と陰ではバカにしていたでしょうが、ドイツ国軍は最後まで忠誠を誓って戦いました。軍人のＤＮＡと言えばそれまでですが、理解が難しいところです。

空母の設計図をドイツに渡した日本

豊田　兵器の話を続けます。ドイツは大陸国家ですが、第一次大戦のときは戦艦もあったし海軍は強かった。ユトランド沖海戦でイギリスに敗けてしまいますが、一方的な敗け方ではない。第二次大戦のときは、第一次大戦の敗戦国・ドイツには時間がなくて海軍までは再建できませんでした。ヒトラーは見栄を張ってビスマルクとかティルピッツという大艦巨砲の戦艦も造りましたがあっという間に沈められてしまう。すでに空母の時代に入っていますから日本から技術を学んでツェッペリンという空母を造ろうとしますができませんでした。

日本は空母の設計図を渡しています。イギリスはビスマルクを沈めて勇名を馳せましたが、ちゃちな艦載機です。ソードフィッシュという名前だけは立派な雷撃機ですが、複葉機です。相手がドイツだから通用したものの、日米相手なら通用しないしろものでした。イギリスは空母の技術が遅れていて日米が空母では最先端。その技術は、今も生きています。日米は、エレベーターの二大先進国です。空母は、格納庫にある飛行機を、一刻も早くエレベーターで飛行甲板へ上げて発進させなければならない。だからエレベーターの技術が発達したんです。ドイツはそこに目をつけて日本から学ぼうとしました。

川口　ドイツ兵器というと誰もがUボートを連想しますね。

豊田　大量生産で造ったことがすごいです。七九〇トン級と一一〇〇トン級の二種類くらいしかないのです。日本とドイツは戦術はあるが戦略がなかったとよく言われますが、Uボートは「狼群作戦」（Wolfsrudeltaktik）といって、狼の群れのようにUボートが隊列を組んで商船団を狙う。敵の軍艦が来たら蜘蛛の子を散らすように逃げてしまう。相手が駆逐艦だと沈められてしまいますから。時には軍艦とも戦いますが、それはリスクが大きいので、狙うのはイギリスやロシアに戦略物資を運ぶ商船団（コンヴォイ）です。何百万トンも沈めています。

日本だと太平洋は広いのでUボート級の潜水艦では航続距離が足りなくて使いものにならず、伊号潜水艦というはるかに大きいものを造りました。けれども敵の軍艦を沈めればいいと、商船を発見しても魚雷がもったいないから攻撃しなかったこともありました。結局、侍の発想というか、一騎打ちで駆逐艦と戦って、かえって沈められたりした。潜水艦に関しては使い方が下手でした。唯一、有名な戦果は、アメリカの重巡洋艦インディアナポリスを撃沈した伊号五十八ですが、インディアナポリスが、原爆を運んできた帰途のことでした。往路でしたら、原爆も海の藻屑となったはずですが。

ドイツと日本の違いはまだあります。日本は兵器の種類が多すぎました。今の陸上自衛隊を見ても、タイヤがついている戦闘車両をとっても四輪、六輪、八輪とあり、キャタピラー付きもやたらと種類が多い。アメリカですら兵員輸送車は長い間M113の一種類だけでした。一つの型を大量生産したほうが得なはずですが、いろんなおもちゃを欲しがる発想で複数のタイプを作ってしまうのです。ドイツは本当に規格化されていて、メッサーシュミット109戦闘機などは三万機くらい作っています。

メッサーシュミットはほとんど真っすぐにしか飛べない戦闘機で七〇〇キロほどの航続距離しかないけれどスピードだけは出ます。バトル・オブ・ブリテンでドイツが負けたのはイギリス上空まで飛んで行くと二〇分くらいしか戦えなかったからです。護衛の戦闘機が戻ってしまうと、イギリス空軍のハリケーン戦闘機が、ドイツのハインケル爆撃機を、蠅のように叩き落しました。もし、四倍の航続距離を持つゼロ戦が、ドイツにあれば、バトル・オブ・ブリテンに、勝てたでしょう。

ゼロ戦はメッサーシュミットより遅いけれど小回りが利いて航続距離が出ました。増槽(使い捨ての燃料タンク)も、ゼロ戦が世界初。出っ張りのない沈頭鋲も、ゼロ戦が最初で、空気抵抗が減らせるから、スピードが出る。また、期待の軽量化に役立った超々ジュラルミンも、日本の発明です。このように、発明品としてもゼロ戦はすごいのです。日本ではできるこういう話も、ドイツではできないということですね。

「モータリゼーションの戦い」だった第二次世界大戦

豊田　日独の違いをもう一つだけ挙げます。友人の小説家・高斎正は、「第二次大戦はモータリゼーションの戦いだった」と言いました。ドイツはモータリゼーションを経験済みで、日本は未経験でした。アメリカはモータリゼーションのトップを走っていて、すでにT型フォードを国内で一千万台以上売っていて、全国に自動車工場があり、整備員がいます。この大量の整備員が戦時で大活躍します。どういうことかと言うと、飛行機も戦車も要するにピストンがある内燃機関で動くわけですから原理は自動車と同じで、ちょっと研修を受ければ国内工場にいる整備員でも修理、補修に役立てるのです。部隊ごとにたくさんの整備員がいて、すぐに兵器を直すことができました。

日本は飛行機なら飛行機、戦車なら戦車、それぞれの整備員をゼロから育成しなくてはならず、各部隊に一人か二人しかいません。絶対的に数が足りませんでした。特に陸軍最後の新鋭機「四式戦」（疾風）は、ゼロ戦の倍も馬力のある誉エンジンを積んでいたため、新米の整備士では飛ばせられなかったそうです。

ドイツにはアウトバーンがあってモータリゼーションが始まっていて、フォルクスワーゲンの工場があり、やはり整備員が充実していました。

モータリゼーションの前提として、どの町の自動車工場にも販売店にも整備工がいるわけです。飛行機にしろ戦車にしろ、シリンダーがあって点火プラグがある。それさえ作動させられれば動くわけですから、町の整備工を訓練すれば事足りました。

川口　ヒトラーが政権を取ってからアウトバーンはドイツ全土に爆発的な勢いで建設されました。ヴェルサイユ条約の巨額の賠償金で不景気のどん底だったから、失業者対策でもあった。一九三四年にベルリンで開かれた国際モーターショーでヒトラーは、「フォルクスワーゲン計画」を宣言。「ドイツの労働者よ、仕事に就け」と、国民にマイカーの夢をもたせて発破をかけました。ただ、フォルクスワーゲンの普及は、戦後のことになりましたが。

豊田　日本は戦地の車による機動力は本当に必要最小限しかなく、大砲などは馬匹で牽引していましたし、兵の移動はほぼ徒歩でした。マレー半島の南下などは自転車です。のちに、バターン死の行進と非難される捕虜の移送にしても、車両がなかったため、熱帯の炎天下を歩かせるしかなかった。誰も触れないのですが、護送される捕虜は、なにも持っていませんが、護送する側の日本兵は、銃や背嚢など、重い荷を持って歩いたわけです。これを死の行進というなら、日本軍は日本兵にも死の行進を課したことになる。

川口　日本もドイツも、緒戦はいいですね。奇襲攻撃とか電撃作戦とか。

豊田　けれども続きません。相手の不意を突く最初だけです。軽快なのは。工業力ではドイツは日本より上でしたけれど、アメリカと比べると全然ダメで、石油もありませんでした。石油を求めてルーマニア油田とかアゼルバイジャンのバクー油田制圧を目指しますが、ドイツの戦時技術がすごかったのは石炭の液化です。石炭は国内にとてつもない量がありますから、それを液化して燃料にする。半分かそこらの飛行機などはそれで飛ばしていました。日本はガソリンは飛行機に全部使うので、戦車に回す余裕はなかったから原油を精製して残った重油を使うしかなく、全部ディーゼルでした。ただ、唯一利点だったのは、ディーゼルエンジンのため、被弾しても炎上しないことだったそうです。

日本の悪しき平等主義

川口　エネルギーがないことは、現代のドイツと日本においても根源的な問題ですよね。それは別の章でしっかりうかがうとして、日独の戦い方の違いは他にありますか。

豊田　日本は悪しき平等主義で、こんな例があります。陸軍は中島飛行機で「疾風（はやて）」という愛称の四式戦闘機を作りますが、これはドイツのフォッケウルフ190機に相当する最新式のものでスピードがすごい。戦後アメリカで、純度の高いハイオクのガソリンで飛ばしたらそのスピードにパイロットがビビったというくらいのものでした。四式重爆撃機「飛龍」と共に、重点生産機として三五〇〇機も作りましたが、各部隊に何機かずつ平等に配備してしまいました。すると、すでに旧式化しているゼロ戦に合わせなければならず、せっかくのスピードが生かせませんでした。
その点、海軍は、ゼロ戦の後継機「烈風」は、ゼロ戦の改良に追われて完成が遅れましたが、傍系の「紫電改」という戦闘機が活躍します。「紫電改」は、すべて松山基地に投入してそれなりの効果を発揮しました。

「海洋国家」の日本、「大陸国家」のドイツ

川口　三国同盟を結んだといっても日独に共同作戦とか具体的なプランはあったのですか。三国同盟があったがために真珠湾攻撃の後でドイツとアメリカは宣戦布告をしあって戦わざるをえませんでした。ヒトラーはアメリカとは戦いたくなかったようですが、三国同盟が裏目に出てしまった？

豊田　日本から空母の設計図を得て、完成はしませんでしたがグラーフ・ツェッペリンという空母を造ったり、ドイツからはダイムラーベンツの液冷式エンジンの技術者が来て

「飛燕」という三式戦闘機を造ったりしました。それまで日本は水冷式の経験がなくて全部空冷式でした。後で一つしかない水冷式エンジン工場を爆撃されて、エンジンのないボディだけの「飛燕」がたくさん残ってしまい、仕方なく国産の別の空冷エンジンをくっつけて五式戦闘機を造ったりしています。

Uボートは日本にも来ていますが、けれども共同作戦を取るには両国はあまりにも遠すぎました。

無謀な戦争だったと言われますが、開戦時は軍事力——空母の数、戦闘機の性能、パイロットの練度などはアメリカを凌駕していました。予定した半年では片付かなくて四年もやって長引いてしまい、負け戦になったのは、アメリカの軍事生産が軌道に乗ってからです。「半年や一年は暴れてみせるがそれから先は保障できない」と言った山本五十六は正しく見ていたというわけです。

もう一つだけ話しておきます。

アメリカの軍人であり歴史家でもあるアルフレッド・マハンは地政学を軍事戦略的に研究した人ですが、ドイツを大陸国家、日本を海洋国家と位置づけました。ドイツのように、他国と陸続きで、他の国と一緒になったり別れたり、国境線が頻繁に変わったり、年中経験してきた大陸国家と海に守られてきた日本とでは国の成り立ちがまったく違います。

ヒトラーがアーリア民族純血主義を唱えたのは、ドイツ人のアイデンティティを常に声高に言っておかないと国がもたないという危機感もあったのでしょう。実際、ヒトラーは、「命の泉（Lebensborn）」という施設を造り、妙齢のアーリア人の男女にセックスさせ、輝く金色の髪と薔薇色の肌を持ったアーリア人種の子孫を生ませ、こうした子供たちを親から引き離し国家で育てるという計画を実行した。まるで、人間を養殖するような発想です。戦後、「命の泉」で誕生させられた多くの私生児が、路頭に迷ったといいます。

今のドイツはナチスの頃の緊張感を退けたように見えますが、四囲を敵に囲まれた大陸国家ドイツには今でもうかがい知れない相違点が海洋国家との間にはあると思います。

大陸国家、海洋国家という区分けで言えば、日本は、明らかに海洋国家です。アジア大陸の東の島弧で、海という防壁に守られた歴史です。近世に至るまで、わずか三回しか対外戦争をしていない国は、世界でも例外でしょう。六六三年に、百済王朝を再興するため、新羅・唐と戦います。白村江の戦いですが、数万人の軍勢を渡海させていますから、総力戦でした。「また、日本軍が撤退する際、少なくとも数万人の百済人が、難民となって渡来しています。日本最初の難民問題ですが、そのうち、知識人などは、いわば大臣クラスの要職についている例もあります」。一二七四年、八一年、モンゴル軍の侵略を受けます。文永・弘安の元寇の役です。次が、一五九二年、九七年の文禄・慶長の役で、秀吉が朝鮮を経由して明を征服するという野望に取りつかれた。このうち、二回は、こっちから攻めていったわけで、実際に侵略を受けたのは、たった一回だけ。稀有な歴史です。平和ボケというのも、こうした歴史が一因となったせいでしょう。

対する大陸国家は、熾烈な歴史になります。カール大帝（フランス名シャルルマーニュ）のころは、ドイツ、フランスにまたがる大帝国でした。一応アーヘンという首都がありましたが、カール大帝は、いつも、ここにいるわけではない。帝国各地を巡幸してまわっている。これについては、京都大学の鯖田豊之氏の『肉食の思想』という名著に、面白い分析があります。小麦と稲の生産性の差だと言います。播種率、一粒の種から実る倍数が、小麦より稲のほうが何倍も高いのだそうです。大帝の騎士団、僧侶、宮廷人、侍女など、遊休人口が首都アーヘンに滞在すると、周辺の農村が疲弊してしまうから、大帝ご一行さまは、領土内を食いつぶしながら、巡幸してまわる。当時の日本の平城京、平安京が、稲作のおかげで、何十万という都の遊休人口を維持できたのとは、大違い。大帝の巡幸で、食いつぶされる地方は、いい迷惑です。不満もたまります。また、周辺民族とも、陸続きですから、軋轢が生じる。対内、対外の確執が多発し、紛争が絶えません。フランク帝国は、のちにヴェルダン条約、メルセン条約などで、分割されますが、国境線の不安定さは、現代までも尾を引きます。

ただ、日本列島を守ってきた海の壁も、現在では安泰ではありません。航空技術、航海術の進歩、国際状況の変化などから、かつてのように機能するわけではなくなっている。ここらで、日本人も目を醒まさないといけない。

第6章 日本の反面教師、移民・難民大国

二極化する移民グループ

川口　日本も数年後は今のドイツが抱え込んでいる移民という大問題に直面するのではと思うのですが、ドイツには現在、トルコ系の人たちが三〇〇万人ほどいます。出稼ぎ労働者として入ってきた人たちと、その家族や子弟です。彼らはコミュニティを形成して、それなりに根を張って暮らしており、今では四世が生まれています。トルコ国籍といっても、中にはクルド人も多い。彼らはトルコ国内で抑圧されたためにドイツが受け入れたという経緯があります。

ドイツに最初に入った労働者は元々はイタリア人、ポルトガル人、ギリシャ人でした。奇跡の経済成長で人手不足になったため、ドイツ政府が相手国の政府と契約して労働者を受け入れた。トルコ人が大量に入り始めたのはかなり遅く、六〇年代後半です。労働者はガストアルバイターの名で知られますが、最初は、仕事がなくなったら帰るだろうと思われていて、まさかベルリンが、イスタンブール、アンカラに次ぐ「トルコ第三の町」と言われるようになるなどとは、誰も思っていませんでした。

いくつかの都会に形成されたトルコ租界では、洗濯屋から食料品店、スポーツジムまで全部トルコ語で不自由はしません。恰幅の良い女性たちは子供をいっぱい連れて、スカーフで髪の毛を隠しています。子供は学校に行っているのでいちおうドイツ語はできますが、お母さん方は言葉が得意でない人も多く、病院に行くときなどは子供が通訳代わりになったりします。トルコ人系でなく、旧ユーゴスラビア系、ロシア系も、冷戦終了後に大量にやってきました。ＥＵが拡大してからは、東欧の人たちもどんどん入ってきた。数としてはイタリア人やポルトガル人などもそれなりに多いのですが、東欧や南欧の彼らは、同じキリスト教文化圏の人間だからか、イスラム教国の人たちほどは目立ちません。

ガストアルバイターとして入ってきた人たちには二つのグループがあって、教育の大切さを認識し、自分たちは貧しい国に生まれて労働者としてドイツに来たが、子供たちにはちゃんとした教育を受けさせようと考える人たち。もう一つは、そういう意識のない人たちです。

ドイツは教育は基本的に無料ですし、能力があれば生活はいくらでも向上させられる。欲しければ、今では簡単にドイツ国籍も取れますから、多くの外国人が統計上もまごうことなきドイツ人となってドイツ社会に溶け込んでいきます。
ただ、もう一つのグループが問題含みで、学校から落ちこぼれ、下手をすると犯罪に走ったりで、ドイツ社会の分断の原因になったりします。ドイツには、かつてのベイルートやウクライナやロシアや旧ユーゴスラビアなどの移民が形成した国際犯罪組織も蔓延っています。

豊田 結婚などはどうなっていますか。日本だと最近では混血であっても社会的な活躍がなされれば尊敬され、差別されなくなっていますが。わたしが、大学に入ったとき、そこそこ仲のよかった同級生に、母親がドイツ人という奴がいました。当時は、いわゆる毛色の変わった人間は、珍しかったので、かれに混血といって、おこられました。彼に言わせると、混血とは父親が外国人で、母親が日本人の場合だそうです。その逆は、合の子というのだそうです。
話が横道にそれましたが、トルコ人のことです。日本では、親日国として知られ、好意的に受け止められることが多いのですが、そのせいばかりでなく、政教分離のせいもあって、他のアラブ諸国とは別に受け止められています。ケマル・アタ・チュルクの改革以来、政教分離になっています。女子バレーの選手など、欧米や日本と同じようで、チャドルをかぶったり、肌を覆ったりしていません。イスラム教も、ああいう程度に信じているなら、西欧や日本とも齟齬は、生じないと思います。また、アラビア文字を排して、アルファベットに変えたのも、大英断でしょう。勝手な理解かもしれませんが、イスラム教の偏狭さが、トルコ人からは感じられない気がします。ドイツでも、そのあたり、トルコ人は、既得権もあるでしょうが、他のアラブ諸国からの難民、移民とは、違う扱いなのでしょうか。例えば結婚とか。

川口　トルコ人とドイツ人の結婚はすごく多い。その場合のトルコ人は先ほど挙げた前者のグループ。ドイツ社会に溶け込んで言葉もできるし、ドイツ人のメンタリティも理解していて、どちらかというとすでにドイツ人に近い人たちです。

けれども後者の人たちは、ドイツにイスラムの風習を持ち込んでいますから、問題が起こる。初潮の訪れた女の子を親が家の中に囲い込んでしまったり、極端な例では、学校の水泳の授業を拒絶するとか。今も時々、ボーイフレンドと深く交際した女の子を、家の恥だからと、親や兄弟が殺してしまうという痛ましい事件が起こります。

最後につけ加えれば、トルコ社会の上層部には、すごい教養とグローバルな世界観を持ったエリート層がいます。彼らがドイツのガストアルバイターたちとトルコ人としてのアイデンティティを共有しているかどうかはわかりません。

ここ十年で増えた移民

豊田　労働者としてハワイや南米に渡った日本人はコミュニティを作りました。移民で他国へ行くと自然な形でコミュニティが形成されるのは古今東西共通です。ブラジルでは戦後、日系社会は、日本は太平洋戦争に勝ったと信じる「勝ち組」と、負けたのだとする「負け組」に分断されて熾烈な闘争を展開し、ついには勝ち組による負け組への攻撃がエスカレートして殺人事件にまで発展したことがあります。北杜夫の長編小説『輝ける碧き空の下で』の第二部に詳しく書かれている歴史的な出来事ですが、コミュニティがあればその中での対立も必然的にあるということで、社会が不安定化するのは止めようがありません。

川口　今やドイツの軽食の中でソーセージと人気を二分するメニューとなった「ドナーケバブ」はトルコ由来の食べ物です。トルコ人がもたらした料理の中では最もポピュラーになったもので、ハンバーガーより人気かもしれません。スライスした肉を重ねて大きな串に刺し、それを垂直に立てて回転させながら炙り焼きにするのですが、そこから切り出した肉とたっぷりの野菜を半円形のパンに挟んでドイツ人が美味しそうに食べています。これだけは、完全にドイツに定着しましたね。

豊田　日本も他人事ではないのですが、日本にとってドイツは移民大国の先輩なわけですね。そこのところを詳しくお話いただけますか。

川口　私がドイツに渡った八〇年代の初めは、看護師さんに韓国人女性が多かった。しかし、彼女たちは、韓国が豊かになったら、あっという間にいなくなりました。外国人労働者や移民はいつもいましたが、ここ十年ぐらいは、急激に増えました。ドイツに四十年近く住んでいる私にとって移民はごく身近な存在です。そういう私自身も日本国籍をもつ

「移民」の一人なのですが。

ドイツ人口の約二割が「移民の背景を持つ住民」（移民と、その親族や子孫、そして、すでにドイツに帰化した人を含む）とされていて、二〇〇五年にドイツは「移民受入国」であることを公式に認め、移民法を施行しました。移民背景、移住経験、ドイツ国籍の有無、年齢、性別、家族構成、学歴、職業などの詳細なデータが発表されていて、移民政策が現在のドイツの重要な政治テーマであることがわかります。一九九九年に国籍法が改正されて、それまでの血統主義を一部変更し、ドイツで生まれた者にも一定の条件の下で国籍取得の道を開いたことが大きな転換点でした。

経済的理由からはじまった移民政策

豊田　ドイツは、移民受け入れの歴史が相当長いということですね。日本の場合、六〇万とも七〇万ともいう在日韓国・朝鮮人が、最大のエスニック・グループであるわけですが、これは移民というより、もともと日韓併合という歴史から、同じ国民だったという理由で渡ってきた人々ですから、永住権を持ったり、帰化したりしています。今後の移民、難民の問題は、かれら在日韓国・朝鮮人のケースとは、まったく異なってくるでしょう。あいまいな形でダラダラと、気がついたらいつの間にか移民が多くなっていた、ということでは困ります。ドイツのケースは、他山の石といえるでしょう。

川口　戦後の奇跡の経済成長期はとにかく労働力が足りず、政府は次々に周辺国と労働者募集協定を結んで、現地で身体検査を行い、労働者を計画的に入れた。ただ、そのおかげで安い労働者が豊富だったので、ドイツの生産現場では合理化が遅れたとも言われています。一九七三年のオイルショックを機にこの協定は打ち切られましたが、そのときにはすでに故国から家族を呼び寄せた移民たちが多くいました。そして、貧しい国から来た人ほど、ドイツで仕事がなくなっても、母国に帰ることがなかった。

常に問題になりがちなのは、宗教や文化習慣の違いが大きいイスラム系移民で、それは共生の問題にいきつきます。二〇〇〇年前後には、ドイツの中に別の社会として存在する「平行社会」が批判され、移民もドイツの文化や伝統を尊重するべきという意見が多く出ました。一方で、移民の背景を持つ子供たちの低学力が憂慮され、イスラム団体の活動などが「文化の衝突」として議論されます。現在ではそれらの対策として海外からの移住や国籍取得の際には最低限のドイツ語能力と民主主義憲法（ドイツ基本法）の知識が条件とされて、そのための各種の講座が用意されています。

難民を止められない理由

豊田　仕事を求めて主体的に国を選んで渡ってきた移民の他に、難民問題ものしかかっていますね。国の政策によって入国時に管理されて入ってきた移民と違って、否応なく押し寄せる難民をもドイツは受け入れた。難民問題が人道問題である以上、ドイツは彼らを拒むことはできなかった。人道問題に積極的に取り組むことは、いわばドイツの「国是」ですから、これは難しいところでしょうね。

川口　二〇一五年にドイツはＥＵのダブリン協定やシェンゲン協定を破ることまでして、ハンガリーで足止めされていたシリア難民に国境を開きました。これがきっかけとなって難民流入に歯止めが効かなくなり、自国への流入を恐れて他のEU諸国は次々と国境を閉めました。

ダブリン協定とは、難民はEU圏に入ったら、最初に入国した国で難民申請をしなければならないというもので、しかも申請のチャンスはEU内で一度だけ。最初に入った国から他国への移動も禁止。難民が入ってきた国はその難民を通過させることは許されず、庇護し、難民申請を受け付け、審査しなくてはなりません。まずドイツは、これを無効にしてしまった。

一方、シェンゲン協定とは、加盟国間での、「人、モノ、お金、サービスの自由な移動」を保障するものです。現在のシェンゲン加盟国は、二六カ国です。EUでありながら、キプロス、ブルガリア、ルーマニアのようにシェンゲンに加わっていない国もあれば、ノルウェーのように、EUではなくてもシェンゲンに加わっている国もあります。ただ、難民はシェンゲン協定から除外されており、彼らは自由に国境を越えられないはずでした。ところが、二〇一五年、ドイツは自国に入った難民を制御できなかったため、その流入を恐れた各国が国境を閉め、警戒を強めました。つまり、シェンゲン協定も一時的に無効になったわけです。メルケル首相は当時、「難民が何人入ってくるかということは、私たちの決められることではありません」と公共テレビのトークショーで言い、それを聞いた他のEU首脳を驚愕させました。これはまさに、主権の放棄と取れる発言だったからです。

難民問題は、今も緩和されるどころか、中東からバルカン半島、アフリカへとますます膨らみ、今、新たに、ベラルーシが故意に中東難民をEUのリトアニアに入れ始めました。誰もが、難民が国を疲弊させることを知っているのです。これからはさらにアフガニスタン難民がEUを目指す可能性も高いでしょう。

難民のホットスポットであるイタリアやギリシャの島々の混乱は想像を絶するもので、それはすでに何年も続いています。しかも、今ではドイツは難民の受け入れには極めて消極的で、イタリアやギリシャはものすごく怒っています。難民問題を人道問題にしたのは、メルケル首相だと言われていますが、まさにその人道が破綻しているわけです。

豊田　人道的かどうかということがすべての価値判断の基準になるというわけですか。古い時代からの合法的移民はともかくとして、人道に照らしてという名目で受け入れをメルケル政権がやって一〇〇万人近くが入ってきてしまったわけですよね。人道的という点だけを重んじたら、国益という観点が抜け落ちてしまう。その人たちに対するドイツ人の反発はないのですか。

川口　それは大いにあります。けれども大きな声でいったら、非人道的と見なされるので言えない。つまり、不安やら不平不満は水面下で溜まっていきます。

タイミングよくそこのところを吸い上げて急速に支持を拡大したのがアー・エフ・デー（ＡｆＤ）という政党で、メルケル首相の無計画、無秩序な難民政策を一貫して批判したことが国民の琴線に触れた。ただし彼らは難民を入れるなと言っているのではなく、「難民の中には経済難民やテロリストもいる。助けるべき人を助けるためにきちんと管理しろ、国境を守れ」と言っていたのです。そのＡｆＤをメルケル政権はものすごく叩いて、反人道的、国家主義的として糾弾しました。この糾弾が結局、国民の口も塞いでしまいました。

移民政策は失敗だったと認めだした

豊田　難民はドイツ国内でどうやって暮らしているのですか。現実に仕事はあるのですか。ドイツ語と違うアラビア語しか読み書きできない人に仕事があるとは思えないのですが。

川口　難民審査をしている間は仕事をしてはいけないという規則はあるのです。ただ、その規則はそれほど厳格ではなくて、パート的なことが許されている自治体もたくさんあります。難民を入れ始めた頃は産業界は安い労働力に期待したのですが、蓋を開けたらあまり役に立たなかった。やはり言葉の問題が根底にあります。英語ができて技能を持っていれば歓迎されます。医師やエンジニアも。いずれにせよ、難民は母国送還にならない限り、衣食住は保障されています。人権に神経質なドイツ人ですから、働けなくても待遇はそれほど悪くはないと思います。

自治体の中にはただで乗れる切符を配る所もあって、私が住んでいたシュトゥットガルトなどでは、難民の溜まり場ができたりしていました。ちょっと困るのは、ほとんどお酒を飲んだことのない人たちが、夜、缶ビールを手にしていること。これは、正直、ちょっと恐いですね。

豊田　そういう話を聞いていますと、やがては日本にも難民のコミュニティができてしまう気もします。移民の受け入れ政策は失敗であったとドイツは自認しているのですか。その反省を難民対策に生かそうとして苦労しているのでしょうか。ドイツは国際社会に対して移民国ではないとずっと言い続けてきたわけですが途中から移民国であると認めました。移民国ではないとした時代には、移民に対してドイツ語を学んでくれとかドイツ社会のルールを受け入れてくれとか、そういうアプローチを取ってはいませんでした。ドイツの法律はこうなっていますとか、男女は平等ですよということも教えなかった。現実にいる移民に対して見て見ぬふりをしてきたわけですけれど、そういう反省が難民政策に生かされているのでしょうか。

川口　移民と難民は別物のはずでしたが、今ではその境界線が曖昧になってしまい、難民が移民になって定着する可能性が高い。ドイツは良い労働力としての移民は欲しいわけですが、入ってくる難民は必ずしも良い労働力にはなりそうにない。だから今、特に二〇一五年の難民騒動後は、大勢の難民を相手に格闘しているわけです。その結果、自ずと難民受け入れのハードルは高くなっており、移民に関しても、将来は、ドイツの需要に合う人を積極的に選べる方向に変わっていくでしょう。

日本がドイツの轍を踏まないためには、見て見ぬふりをしないことが肝心かと思います。移民政策が失敗だったと気づくのが遅ければ遅いほど事態は深刻化し、国家の中にもう一つの国家というか、力の及ばない地域や場所が、それもたくさんできてしまいます。

移民政策が失敗だと皆が思っている実例を一つ挙げると、あちこちにあるモスクで、イマームと呼ばれる宗教指導者が、反ドイツ的な説教をして不穏な空気を醸成しているのを放置してきたことです。ドイツ人はホロコーストのトラウマがあるので、外国人に遠慮していたのが仇になりました。これも外国人問題の難しさです。

ただ難民に関しては、日本政府はウイグル人など抑圧されている人たちを積極的に受け入れて、人道国、民主主義国としての矜持を示すべきです。

職業による国内分裂

豊田　たまたま私の家の近くで解体工事をしているのですが、そこでは聞いたことのない言葉が飛び交っています。働いているのは中東系の人たち。日本はもう彼ら（移民）の力を借りないと現場が回らなくなっています。難民こそまだ少ないですが多民族社会の入り口に立っているのだという気が強くします。移民容認国家のトバ口にいるのではないでしょうか。そういう意味でドイツの経験に学ぶところは大きく、変な言い方ですがドイツが苦労してくれたその分、ちゃんと学習しないといけないのでしょう。自国民が嫌だと思って毛嫌いする仕事を肩代わりしてもらうだけでいいのか、というところを考えないと。

川口　こんなに夏が暑くなると、戸外での仕事はアフリカから来た人たちのほうが向いているとなって早晩彼らの独壇場となるかもしれません。ある仕事が外国人の職種になってしまうと、もう日本人はその仕事をしなくなる。

ドイツでもそうで、今やゴミ屋さんは完璧に外国人の仕事です。そういうふうに職域分化が進むと、誰も望んでいないのに階級社会になってしまう。せっかくの日本の素晴らしい平等社会も崩壊するかもしれません。

ドイツも建て前としては差別はないのです。けれども法律的にはなくても、職域ごとに自然とそれは生じます。電気の量販店に行って、棚を拭いたりしている人に何か訊こうとすると、私の友達は「この人に訊いたってだめよ」と言います。実際、訊いても何もわからない。掃除婦は掃除婦という感じです。それに比べて日本のお掃除おばさんは、オールマイティです。夜になったら所属の劇団で芝居をしていても不思議ではない。

日本って教養も常識も、外国に比べると、かなり均一なのです。皆、髪が黒くて、目が茶色いのと同じように。

豊田　たとえば、人種の坩堝（るつぼ）といわれるアメリカでは、クリーニング業、青果商などは、アジア系が多かったといいますが、ドイツでは移民の多いという清掃業などは歴史的にもともとダーティワークだったのですか。

川口　戦前までは掃除だって普通にドイツ人がしていたはずです。でも移民が入ってきてからは、そういう仕事は言葉がいらないので彼らがやるようになり、ドイツ人は手を出さなくなりました。日本ももうすぐそうなりますよ。今のドイツでは介護職はほとんど東欧の人たち。ウクライナ、ポーランド、ルーマニア、クロアチア……。彼女たちなしには、ドイツの病院は三日で崩壊します。

政教分離を強要しないドイツ

豊田　先ほどの、トルコ人移民が二つの道を歩んだ、というお話は、日本における韓国・朝鮮人労働者のその後と同じところがあります。戦前、日韓は併合していたわけですから、日本本土に来た彼らは、強制連行ではなくて職を求めて勝手に、自由意思で海を渡ってやって来た。本土のほうが半島より稼ぎがいいからです。当然、日本に来ても教養もないし言葉も不自由だから苦労する。ダーティワークにしか就けない。それでも中には子供たちには教養をつけさせようと努力して、医者や弁護士にさせる人たちも出てくる。その一方で、コミュニティの中から出ることなく、焼肉屋さんとかずっとやっている人たちもいる。子が出世した場合は焼肉屋とか継がないので、店が居抜きで日本人に売られて味がまずくなる……。

それはともかく、日本社会に溶け込むグループは日本人と結婚して帰化する人が多くいて、民族感情も希薄になってきます。以前、私が日本文芸家協会か何かで知り合った年配の詩人は、日本へ帰化する際、大変な覚悟だったそうです。「二度とチマチョゴリは着ない。人前でキムチは食べない」と言っていました。自分でそう決めた、と。民族的なアイデンティティみたいなものは外では出さないほうがいいだろう、と。それを聞いたときはちょっとショックでした。こちらは差別する気はないので、それはあなたの思いすごしだろうと感じたのです。

一方で、大阪の生野区は四人に一人が在日韓国・朝鮮人と言われるくらい確固たるコミュニティができていて……。

ひるがえって、イスラム教ですが、さっきの帰化した朝鮮人の例と異なり、異国にあっても、民族的、宗教的アイデンティティを、強固に主張しているように見えます。比較文化論的な読みかじりですが、こうした国々から来た男たちは、日本や欧米に初めてくると、妙な話ですが、女性が裸で歩いているようなショックを受けるそうです。つまり、ミニスカートの女性を見たことがないからです。ここまで文化的、宗教的な基層（サブストレイタム）が異なる人々を、果たして同化できるのか、あるいは同化してくれるのか、ここが大問題です。フランスでも、学校におけるチャドル着用の是非など、騒がれていますが、ドイツでも宗教上の対立とかはあるのですか。

川口　公務員や学校の先生にイスラム教のスカーフを禁止した自治体はあります。子供に対し、一定の宗教を印象付けてはいけないということで。こういう自治体では、おそらく十字架のペンダントなどもダメだと思います。難しい問題です。ドイツは、元来、日本と違って政教分離はしていないのです。ＣＤＵにしてもＣＳＵにしても政党名に「キリスト教」とついているくらいですし、信者からは所得税の何パーセントかの教会税を天引きします。でも、だからと言って、キリスト教の信者以外を排除するわけではない。ＣＤＵの中にも移民系の人もいます。

結局、問題は宗教というより、文化や価値観の違いだと思います。先程のお話ですが、新入りのアラブ人がドイツ人女性の服装を見れば、確かに、誘惑してくださいと言われているように感じると思います。また、イスラム教徒の人たちで、長くドイツにいて、西洋的な価値観を持ち、男女平等は正しいと心から思っている人でも、自分の娘がドイツ人の女性と同じように性の自由を謳歌するのはやはり困ると思う。こういう文化や価値観の違いが、互いの理解、あるいは共生の一番の障害になっているように思います。もっとも、つい最近までは、ヨーロッパでも性の自由なんてタブーだったんですけれどね。

難民に襲われる日本

豊田　日本はドイツを他山の石として難民を無制限に入れるわけにはいきませんが、これからはどうしても入ってくる。しかも、ドイツが経験したより、もっと過酷な事態に直面するかもしれない。もし、北朝鮮が崩壊すれば三〇〇万という民兵が武装難民として押し寄せる。すでに北朝鮮のスパイは潜水艦でやって来て、東北の人気(ひとけ)のない海岸にゴムボートで上陸している。私は一九七〇年代に対馬に行ったとき現地のお巡りさんが韓国語を喋るのに驚きました。漁船か何かで密航してくるのがいっぱいいて、日本国内に入られる前に見つけなければということで、韓国語の特訓を受けていたのです。日本は本当に危機意識が薄い。島国だから、海が守ってくれるからと、どこかで思っているのでしょうけれど、シリア難民だってまずはボートで地中海の島に渡るわけで、ドイツを見て「明日は我が身」と思わなくてはいけません。

第7章 亡国のカーボンニュートラル

「夢の技術」だった原子力発電所

豊田　夢のような時代だったと言えば眉をしかめる人もいるでしょうが、一九七〇年の大阪万博のとき、「この会場の電気は関西電力美浜発電所の原子の火で起こされています」と会場内にアナウンスが流れたのを覚えています。手塚治虫さんに誘われてフジパンというパン屋さんのパビリオン、ロボット館のアイデアコンセプトを出すのを手伝いました。デッサンは手塚さん自身が担当しました。

そのころはマスコミと原子力の蜜月時代でしたが、公害問題が深刻化するとそれにひっかけて原子力反対の声が起こります。「バラ色の未来ばかり描くのはけしからん」とSF作家と未来学者が槍玉に挙げられました。SFは、べつだんバラ色の未来ばかり描いてきたわけではありませんが、高度成長期にはアンチユートピアSFは、マスコミの関心をひかなかっただけの話です。小松左京は憤慨して、「それでは望み通りバラ色でない未来を描いてやる」と書いたのが『日本沈没』でした。私も同様で、たまたまアニメのSF設定を頼まれていたので、異星人の攻撃のため、放射能で地球が滅びかけるという設定にしました。それが『宇宙戦艦ヤマト』です。

原発が公害のシンボルのように見られるようになったのは、その頃からです。べつだん放射能公害を出すわけではないですが、マスコミと原子力との蜜月時代は早くも終わってしまいました。

左側の人にはコピーライトの才能のある人が多くて、燃料棒（使用済み燃料）の処理をあいまいにしたことを指して「トイレのないマンションだ」と言い始め、今でもこの比喩を目にします。しかし、これには事情があります。当時のアメリカのカーター大統領は、周囲に進言する人があったせいか、日本に核の再処理を許すと、かならず核武装すると信じていたそうです。そこで、日米原子力協定で、再処理を禁じたのです。わたしは、そのころ、なんども書いたり言ったりしてきました。「確かに原発は、トイレのないマンションだが、それは、意地悪な大家のカーターさんが、トイレを造らせてくれなかったからだ」

川口　私は北海道の一番北にある幌延に行ったことがあります。地下三五〇メートルまで掘って核廃棄物を貯蔵する施設を見せてもらう目的でした。あれを一目見れば誰でも納得すると思います。立派なトイレを造っているではないか、と。北海道には核廃棄物は持ち込まない口約束があって、ここに決まったわけではないと地元の人は力説していましたが、高深度地下利用の研究は立派になされています。原子力についてはもったいない話ばかりです。

豊田　ドイツでは二億年の間、水が入ったことのない岩塩鉱の洞窟があって、そこに処分するという話もありましたが……。

川口　ゴアレーベンですね。岩塩を掘ったあとの頑強な坑道で、今、仮処分場になっています。視察に行った人の話では、核廃棄物の貯蔵には理想的な環境だと言いますが、地元の反対が何十年も続いていて、結局、白紙に戻しました。核廃棄物は票にならないので、政治家が積極的にやりたがらない。だから、これから三十年かけて適地を見つけるなど、日本同様、先延ばしを図っています。

豊田　ドイツにしろ、日本にしろ、原子力と航空機の研究開発は、敗戦国のため戦後十年、禁止されてきました。その後遺症か、核のバックエンドの問題は、棚上げのような状態が続いてきたわけです。幌延の施設にしても、あくまで高深度地下の研究のためであって、そこに決まったわけではありません。かつて四国の東陽町が、手を挙げてくれたことがありましたが、次の選挙でご破算になってしまった。今も、北海道の寿都町と神恵内村が、名乗りを上げてくれましたが、あくまで研究の域を出ない。使用済み燃料を再処理して、ウラン、プルトニウムなどを回収した残りの高レベル廃棄物は、それほどの量ではありません。気長に説明と説得をするしかないようですが、解決法がないわけではない。

福島原発事故で損害賠償を覚悟したGE

川口　汚れた場所はきれいにしなくてはいけないという強迫観念が日本人にはありますね。危険な場所だけ人が立ち入らないようにして、他の所は公園とか研究所とか利用の方法もあるはずですが、とにかく全部をきれいにしたがります。豊洲と同じで意味なし。

豊田　それはもしかしたら神道のせいかもしれません。要するに、この世には清らかなものと穢れたものがある。穢れたものには禊をしてきれいにしなければ気がすまないのです。日本人にいちばん痛烈に響く悪口は「お前、やり方がきたないよ」ですね。隣の国の韓国では、いちばん響く悪口は「お前、ネンジョンだぞ」です。韓国語で冷情（ネンジョン）と言いますが、「ネンジョンな奴だ」と言われたら致命的。逆に、多情というと、日本では、やや否定的な響きですが、韓国では多情（タジョン）は、誉め言葉です。日本では違いますね。日本人は、無神論だと思ったりして、宗教的な影響は受けていないつもりですが、神道の影響でしょう。穢れを忌むという宗教的なタブーがあります。その証拠に「きたない奴」「やり方がきたない」は、ぐさりと突き刺さる悪口になっています。

川口　きたないものには清めそして禊をすれば……ということですね。「原子力はきたないもの」とされてしまった現状を見ると、完全な禊がなければ動かしてはいけない、と。汚れたままのものを動かすのは許されない、と。

豊田　私は福島第一には二度行っていますが、海岸は本当にまっすぐです。津波というのは湾の奥で潮位が上がってきて高さが増すのですが、あんなまっすぐな海で二〇メートルの津波が起きるなんて千年に一度あるかないかです。何度も言うようですが、日本中で「想定外は許されない」と一斉にシュプレヒコールが起きました。人間の浅知恵で神羅万象を想定できると考えるほうが間違っていると思うのですが、そんな声はかき消されました。

川口　あの事故は非常用電源がもっと上にあれば起きなかったはずですね。

豊田　そうです。設計図を描いたGE（ゼネラル・エレクトリック）のマニュアル通りに電源を地下に入れてしまいました。GE側では事故の後に、損害賠償を請求されるかもしれないと議論されたそうです。結局日本からの損害賠償請求は成されませんでしたが。GEは電源が下にあったがために水をかぶったことを真っ先にわかっていました。アメリカの原発の基本設計は、トルネード（竜巻）をまず心配しますから、非常用電源を上に置いたら持っていかれてしまいます。だから地下に入れるというマニュアルになります。日本はトルネードの心配はありませんから通用しないマニュアルで、東電のミスといえばミス。第二建屋の地下の電源が冠水して致命的な事故を誘発しました。

川口　東北電力の女川原発は、津波はものすごかったですが、電源が上にあったので無事でした。

世界最高の技術も中国に需要を奪われる

豊田　最後まで壊れなかった圧力容器の話をしましょう。日本製鋼所が造る原発の圧力容器はひところ世界で八割のシェアを有していました。他メーカーが鋳造であるのに対し、日本製鋼所は鍛造です。要は日本刀と同じ作りで、一万トンプレスで鉄を叩いて作ります。詳しくは『日本の原発技術が世界を変える』（祥伝社刊）に書きましたが、間違いなく世界最高の技術です。最後の砦の圧力容器が壊れたらメルトダウンで地中深くのとめどもない所まで溶けた核物質が突き抜けます。あの事故があって、それまで日本の独壇場だった圧力容器の供給が止まってしまいました。ドイツのシーメンスは早々と手を引いたし、フランスのアレバ社、韓国の斗山重工もそこその技術を持っていますが、鍛造技術をもつ日本製鋼所には敵いません。はたして安全なのかどうか。ましてや中国に任せていいものなのか。

川口　実は私も室蘭の日本製鋼所に行きまして、ちょうど使用済み燃料を中間貯蔵するときのキャスクを作っている現場を見せていただくことができました。キャスクは原発の圧力容器と同じく、どんな小さな不具合も許されない製品です。おっしゃるように、韓国で不具合が出たから日本製鋼所で作っていると聞いた覚えがあります。電炉で溶かした鋼のインゴットを取り出して大きなプレス機で鋳造するのですが、コンピュータ制御でやっているはずなのに、最後は人が目で見ているのですね。「ちょっとこっち」とか、「よし」とか。日本製鋼所の卓越した技術の源は、日本刀だったと聞きましたが、このシーンは本当に感動ものでした。そういえば、福島第一原発の事故の後、ドイツの原発でも安全性の確認が行われましたが、テレビを見ていたら、ある原発の広報の人が、「うちは絶対大丈夫。日本製の圧力容器だから」と言っていました。日本製鋼所のものだったのでしょう。

日本の原発が停まっている間は、こういう日本の原発技術もすべて停滞します。失われるものは大きいはずです。

豊田　アメリカなどは今では原発技術は完全に失われています。二種類の軽水炉の開発国として、反対運動の芽もない時代に、百基もの原発を早々と作ってしまいました。一九七八年以降、原発を造っていないのですから当然です。沸騰水型軽水炉も加圧水型軽水炉も元はと言えばアメリカの軍事技術を転用したものですが、それが全部「三・一一」でポシャってしまったわけです。

川口　稼働していない原発で働く若い社員ももう十年になるわけですから、動いている原発を見たこともないという人もいて、モチベーションももたないだろうし、技術とか勘とかがみんな失われて、やがて日本は原発を造れない国になってしまいます。

日本の大学から消えた「原子力」

豊田　電力会社も、再稼働のときに備えて、必死です。原発が稼働していた時代を知らない若い社員の士気（モラール）を、どう維持するか、大問題になっています。また、日本中の大学から「原子力」と名のつく学科がなくなってしまったと聞きます。素粒子工学とか、そういう名に変えられてしまいました。原子力と名がつくと学生が集まらないそうです。万一仮に原発を廃止するとしても廃炉に至る過程で技術者は必要なはずです。そのためにも、日本の高い技術水準は保っておかねばいけないのですが、それが成されていないのです。

川口　原子の力は発電だけでなく医療とかあらゆる所で使われてます。医療で浴びる放射能はかなりのもので、しかも、その量は日本が世界一ですが、そちらはまったく問題視されなくて、原子力発電だけが強いアレルギー反応にさらされています。間違った、極端な意見が浸透しすぎた結果だと思います。流言と風説が乱れ飛んで、本質が見えなくなってしまった。危険を煽るメディアにも責任があります。

実質増税で成り立つ再生可能エネルギー

豊田　アメリカの話をしますと、発電会社が三〇〇〇社ほどもあるのです。なおかつ送電会社が一〇〇〇社ほどもあります。一九七七年のニューヨーク大停電、数多くの発電会社の電気がこれまた数多くの送電会社を経由して送られてくるので、入り乱れてしまって大混乱して何日も停電したと言われています。十カ月後にニューヨークでは赤ちゃんがたくさん産まれたという都市伝説も生まれたくらいです。

映画『チャイナ・シンドローム』に描かれていたのは、故障原発を後生大事にむりやり動かしてついに事故を起こして、地球の裏側の中国までメルトダウンが行きかねない危機でした。あくまでフィクションですが、あの映画が現実味を帯びていたのは地域の小さな電力会社が自社の利益のために使い古しの原発を動かしているところです。日本の地域割りの九電力体制が正しい適正規模で、発送電が分離されていないのが強みなのです。アメリカでは二〇〇三年にも大停電がありました。アメリカのように、電気という基礎的インフラまで完全に自由化してしまうと、「儲からないのでやめます」という会社も出てくるし、電力が逼迫したら投機的に発電量を控えて値を吊り上げるとか、民間会社はいろいろ考えるはずです。

川口　誰もが電力供給に責任を持たない状態。日本がそうでないことに感謝しますが、今国を挙げて推進している再生可能エネルギーの仕組みには不安を覚えます。

豊田　ひと昔前に日本には食糧管理制度なるものがあって、要するにお米を国が定めた金額で買い上げていて「食管赤字」が問題になりました。あれを今、再生可能エネルギーでやっているわけです。

川口　違うところがあるとすれば、食管制度は当初は貧しい国民のためになったわけですが、今の再エネ買い取り制度は、貧しい人たちからも電気代として再エネ発電者の利益を幅広く徴収している点。再エネ発電賦課金と称して、強制的に電力会社が引き落としますが、電力会社が儲けているわけではなく、あくまでも再エネの買取の経費を庶民から吸い上げているのです。まるで税金です。再エネで発電した電気は無限に買い取ってもらえるなんて、そんな上手い話、普通ならありえない。ここのところに気づいていない国民が多いかと思いますが、毎月電気会社から送られてくる領収書を見れば一目瞭然、よくわかります。

いざというときにリスクが大きい島国

豊田　脱炭素という大上段に掲げたスローガンで、いわゆる再エネだけが、異様にスポットライトを浴びています。私事ですが、島根県立大学に在職中、風力発電の誘致運動と反対運動に携わったことがあります。誘致のほうは、大学のある浜田市の郊外の日本海に面した岬です。そこから相当にはなれた景勝地の畳ケ浦から、見えることは見えますが、邪魔になるような立地ではない。不毛の岬が少しでもエネルギー供給に役立てばと考えたのです。ここの風力発電所は完成しました。反対した場所は、宍道湖の北西の森に、四六基

ドイツの発電エネルギー源（2021年四半期の純発電量）

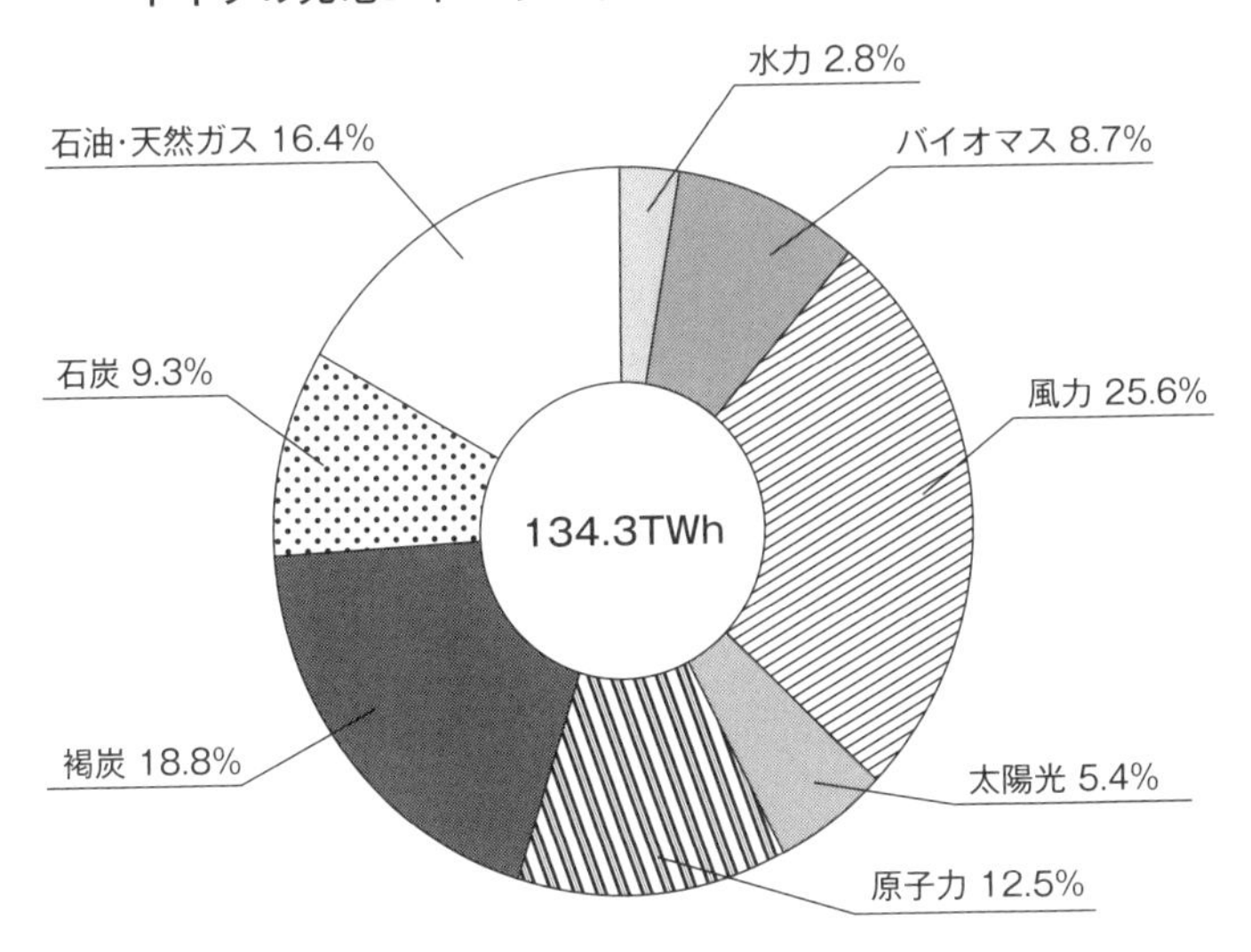

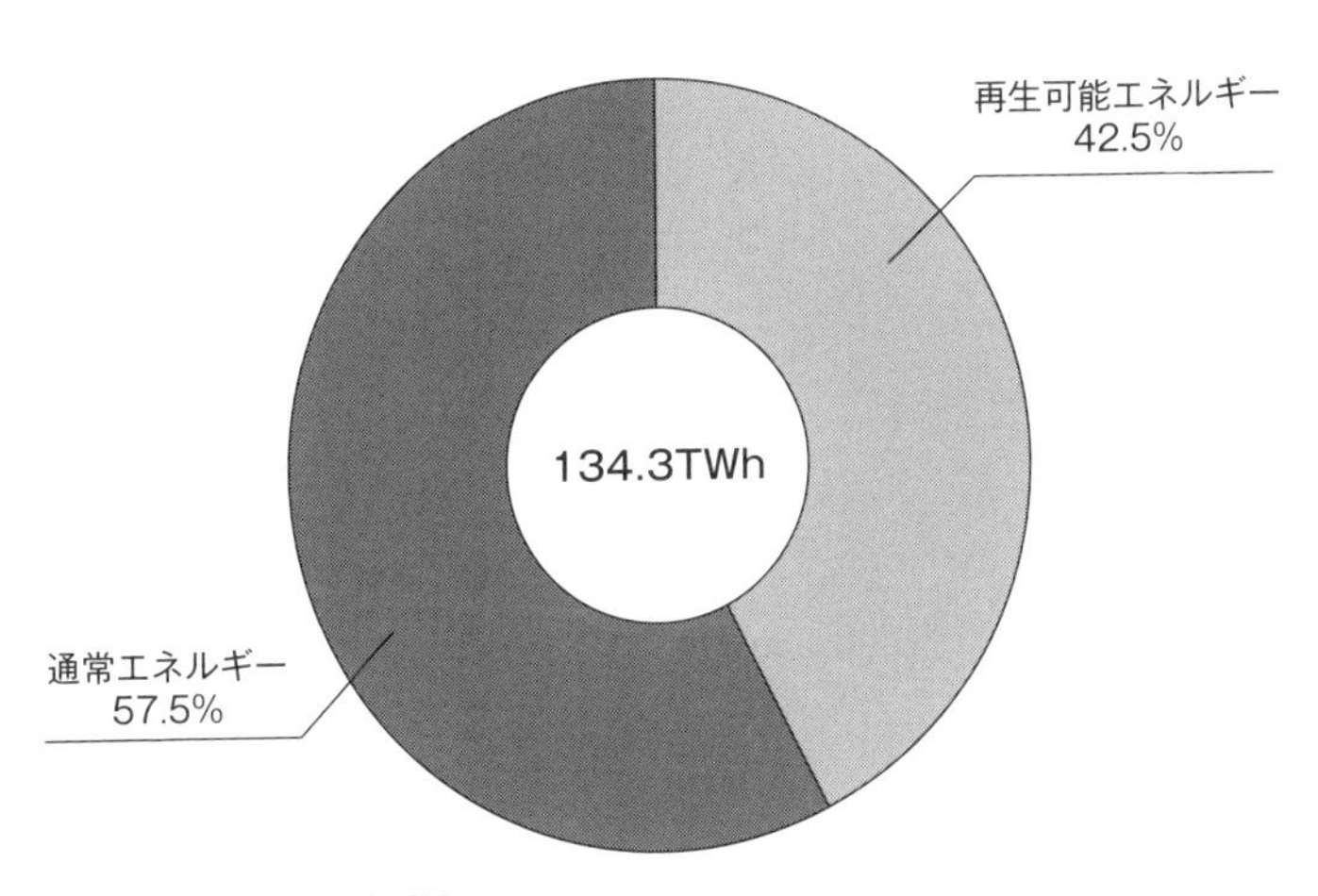

出所：B. Burger, Fraunhofer ISE

の風車を建設するというものです。このあたりは、出雲神話の弥生時代からの斧入らずの自然林です。その自然林を伐採して、強引に風車を建てようとしているわけです。宍道湖の景観を損なうばかりでなく、島根半島の山地の切れ目になっているため、日本海側から宍道湖への渡り鳥の進入コースになっています。特に希少種のマガンが多いので、鳥類研究者にとっては貴重な場所だそうです。風車によるバードストライクは、各地で問題になっています。結局、力及ばず、計画を縮小するにとどまり、二十数基の風車が建設されてしまいました。

ところで、ＥＵ内では、電気を国同士が売り買いしているわけですよね。ということは、株価のように電気の値段は刻一刻と変動し、電気が足りなくて困っている国には高く売りつけられる、と。

川口　そうですね。ドイツの冬場、電気がカツカツになったときなど、それまで毎日のように輸出していたフランスで国内需要が増えて、ドイツに十分に電気が送られてこなくなることもあります。もちろん、値段も高騰します。

豊田　ヨーロッパは各国が陸続きですから送電線もパイプラインも引けますが、日本は島国なのでそうはいきません。いざというとき、本当にどうしようもない。無理してパイプラインを引いても、周囲には日本を快く思っていない国が多いので安心はできません。いざというときに韓国から輸入しようとしても、向こうが売らないという可能性があります。私の邪推かもしれませんが、ドイツは、綺麗ごとをいう裏で、肚をくっているのではないでしょうか。今だからこそ、脱炭素が大命題ですが、もし、国際的なエネルギー危機が到来すれば、石炭大国のドイツは、エネルギーを自給できます。その点、日本は、なにもない。

太陽光パネルがもたらす自然破壊の代償

川口　ドイツの例を出しますと、ソ連は冷戦時代からずっと西ヨーロッパにガスを供給していました。貴重な外貨のためですから供給は絶対に途絶えなかった。

ただ、欧州には、もしソ連から入らなくても、その他のカードもありました。日本も、こちらがダメならあちらでというカードを、なるべくたくさん作っておかなければなりません。

豊田　日本の場合は運んでくる距離が非常に長いでしょう。ホルムズ海峡、マラッカ海峡と、緊迫したルートを通ってこないといけません。液化して運んでくるので日本のガスは世界一高い値段になっています。地上のパイプラインを通して生ガスが入ってくるドイツとは違います。

　電気のことに話を戻すと、今の人は電気がない状態、しょっちゅう停電があった頃のことを知りません。電気も足らなくなれば灯りが消えるという当たり前のことを私などの世代は知っています。私は疎開して二カ月後に終戦でした。家に戻ってきたら停電の連続です。一回停電させたら電気のありがたさがわかるはずですが、止めたら大変ですから電力会社の人は苦労してやりくりをしています。電気はひとりでにできてくると思っている人が多いのではないですか。

　電気を作る費用ということでいえば、太陽光発電のコストが原子力より安いと言われますが、あれはバックアップ電源のことを考慮に入れてないからであって、加えて太陽光パネルの廃棄処分の費用も入れてないからです。

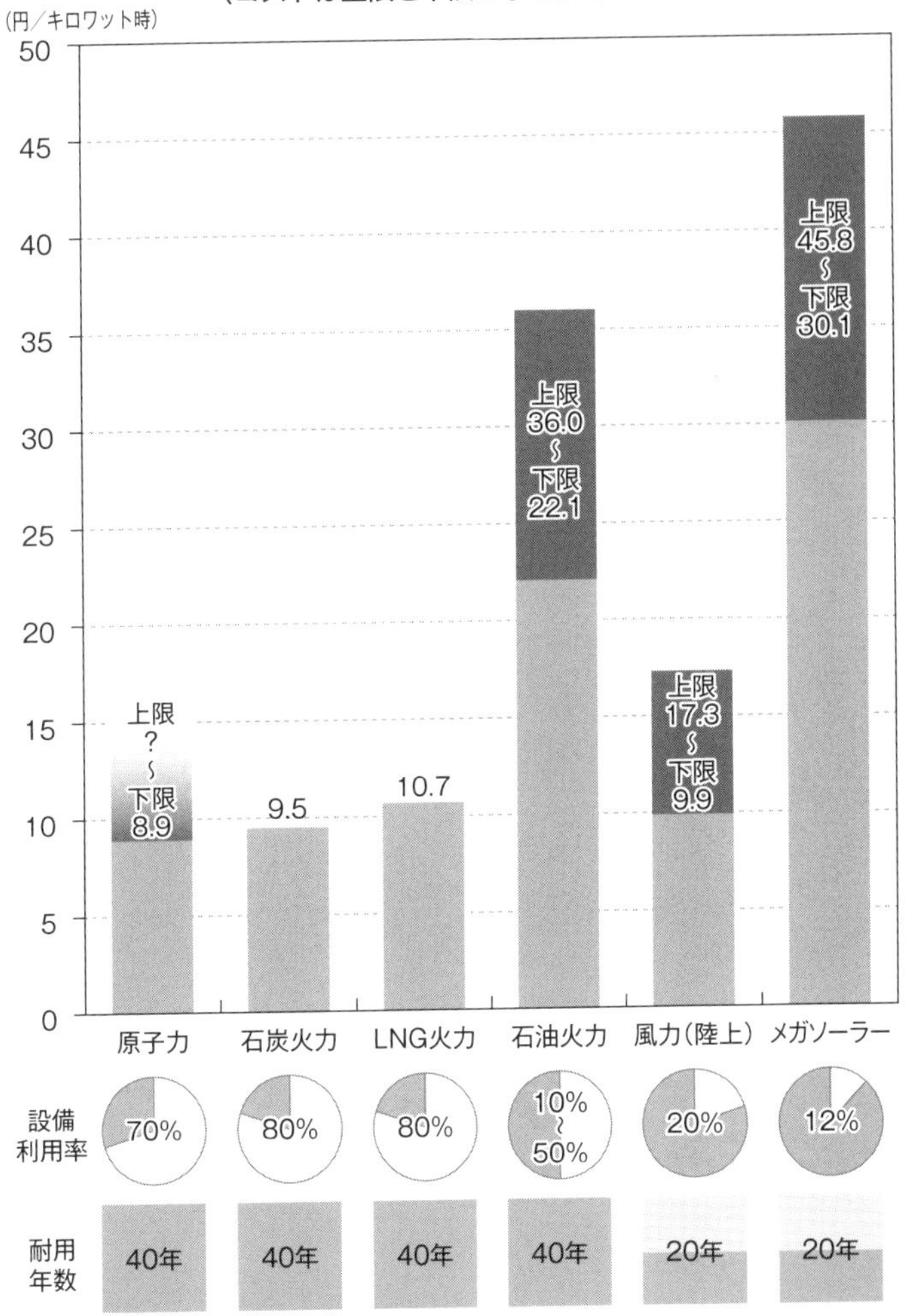

出典：国家戦略室・コスト等検証委員会報告書

川口　原子力の発電費用には、安全対策のためのお金も入れてあります。だから正確な比較にはなっていません。

これから問題になってくるはずですが、日本中に太陽光パネルをベタベタ貼ってしまって、山も畑もみんなガタガタになっています。熱海の伊豆山の地すべりもそのあたりが原因という見方もあります。太陽光パネルの弊害について、認識が甘いのではないでしょうか。

豊田　原子力のほうは原子力規制委員会が徹底した安全対策のバリアをたくさん作って、その種の施設を次々と作りますから当然コストは上がります。けれども太陽光発電はただ電気を作るだけで安全対策などしている節はありません。よくケーブルなどが盗まれますが、もし警備員を配していたら人件費がバカにならないはずです。

川口　基礎をコンクリートでちゃんと固めていないことも多くて、別荘地の一画が余っているとそこに棒を差して鎖でつなぎ止めるだけのような設置もあります。台風でパネルが

全然進んでいない送電計画(2020年3月)

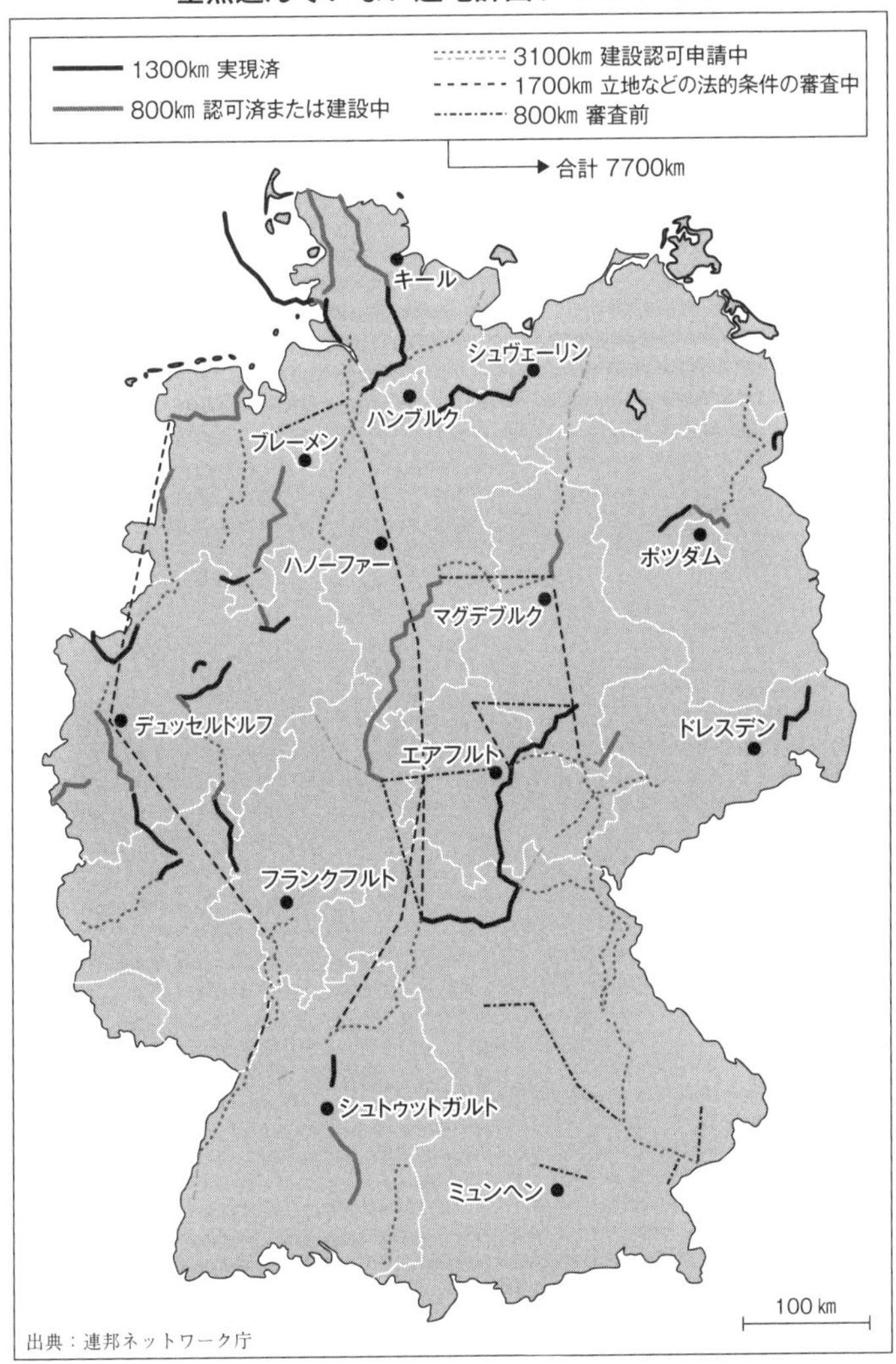

出典：連邦ネットワーク庁

飛んでしまっても発電し続けるので、水たまりとかにパネルが落ちると感電の危険もあります。パネルが屋根の上にある家が火事になって水をかけるときも感電する恐れがあるので、消防署では対策のマニュアルがあるとか。実はかなり恐いのです。山の木を根こそぎ切ってパネルを一面に張りつけて、何が「地球に優しい」ですか⁉

自然林を大事にするドイツ人

豊田　パネル設置のために木を切るのはドイツでもしているのですか。

川口　ドイツ人は木を切ることにすごく敏感ですから、それはないです。森を潰すことはしません。アウトバーンの横の使っていない土地などにパネルを並べています。木を切ったら、その相当分の新たな木をどこかに植えなければいけないという規則のある自治体もあるほどです。

シュトゥットガルトでも、一定の高さ以上の木は、自分の庭の木でも、以前は切るのに許可が要りました。規則は自治体によって違いますが、ゲルマン民族はやはり森の民なのですね。

豊田　ドイツでは北部での風力発電の電気を南に持ってくるそうですね。当然、送電線は森を通りますから森を潰さないといけません。黒い森（シュヴァルツ・ヴァルト）といえば、ゲルマン神話のゆりかごのようなものでしょう。伐採していいわけがありませんよね。

川口　そうなのですが、森に手を入れることに反対する人が圧倒的に多くて計画が全然進んでいません。ドイツを縦断する高圧送電線は二〇二二年までに三本作る計画でしたが、まだルートさえ決まっていないところもあります。ルートを決めると住民が反対し、すぐ訴訟になる。残っている原発をあと一年ほどで停めるのですが、その後はどうするのか。大工場や大会社が集中しているのは南で、海からの風が安定して吹くのは北部なので、風力発電は北ドイツで盛んなわけです。

しかも、再生可能エネルギーは需要に合わせて発電ができないので、産業国のドイツや日本が再エネに専念しすぎると、大変危険なことになるはずです。

再エネ最大のリスクもスルー

豊田　洋上発電をかなりやっていますか？

川口　どんどん増えています。風車を地上に作るのが難しくなってきたのでバルト海とか北海に作りますが、海上は風が安定していて発電には適しているものの、波も荒くて工事が難航し、投資が膨大になる。

日本の場合はドイツのように遠浅でなく、急に深くなるし、台風も多いので、洋上発電には向いていないと聞きました。

一方、ドイツには褐炭という質の悪い石炭の埋蔵量がすごくて、あと二百年分はあると言われています。けれども褐炭はCO_2を多く排出するので槍玉に上がり、遅くとも二〇三八年には止めることになっています。石炭も、こちらは輸入炭ですが、それも二〇三八年にはやめる予定です。

原発は二〇二二年に止める予定ですから、残るは天然ガスと再生可能エネルギーだけです。再エネは一つ一つを足し算すれば量は確保できるかもしれませんが、安定供給に不安があり、欲しいときに常にあるわけではないのです。原発と石炭火力の両方を無くすのは、はっきり言って無謀です。

豊田　最大の課題は、お日様の出ない日、風の吹かない日のバックアップをどうするかです。そのときのバックアップが必要なわけで、そのためには石炭火力なり石油火力なり天然ガスなりのエネルギープラントを作る必要があります。つまり二重投資になるわけですが、今はそこを無視しています。

川口　完全な二重投資になり、絶対採算が合わない。まったくもって不安要素ばかりですが、ドイツは遮二無二進めています。本当に二〇二二年の十二月に今ある六基の原発がすべて停まったとして、その先どうなるのか。翌年になればわかることですが、停電が懸念されています。それでもいちおう手は打っていて、今は止めている石炭火力のプラントを温存させて、いざというときに立ち上がらせるために休業保障金を電力会社に払ったり。

また、ロシアからの二本目の海底ガスパイプラインもまもなく完成するはずです。アメリカが絶対ダメだと言って工事を中止させたパイプラインですが、大統領がバイデンに代わってゴーサインが出ました。

もう一つのプランは、ノルウェーの水力発電の電気を海底送電線で引っ張ってくるもの。ノルウェーは水力電気が豊富で電気の輸出国です。海底を通して北ドイツまでの送電線が去年完成しましたが、ただ、先ほど申しましたように、そこから南ドイツの工業地帯までの送電線がまだ足りません。問題は山積みです。

豊田 ヨーロッパは陸続きだから、今原発はフランスに頼るわけですが、フランスの総発電量の原発比率は八〇パーセント近くあり、輸出は十分可能でしょう。

カーボンニュートラルに驀進するメディアと政治家の異常

川口 電気は国境を越えて毎日のように出たり入ったりしていて、ドイツが輸出していることも多いのですが、フランスの原発は古いものが多いため、将来もあてにできるかどうか不安視されています。

特に、これから先、自動車の動力がすべて電気になれば、その電気をいったいどこから持ってくるのか。ドイツは、二〇三〇年からはガソリン車、ディーゼル車、ハイブリッド車の新規登録をやめると言い切りましたが、はたしてどうなることやら。

豊田　日本ではＭＩＲＡＩという水素自動車を作りましたが、その水素だって電気分解できるわけで電気は必要です。ちゃんと科学的に分析できる人はこのあたりのことはわかっていて、グリーンピースをアメリカで創設したメンバーの一人パトリック・ムーアは、今は原子力を容認しています。彼は科学者で、科学の解説本を書いている人ですからわかっているのです。ムーアの原子力再評価によってグリーンピースは分裂し、別れたほうが次の争点にしたのが捕鯨禁止で、シーシェパードが出てくるのです。

もう一人、ガイア理論を唱えるジェームズ・ラブロックも原子力は認めてもいいと言っています。彼は近代文明はおおよそ反対なのですが、地球を一つの生命体と考えて、新生代の造山運動ではとてつもない量の炭酸ガスが放出されたことを説いていますが、それで絶滅した種はない。また、地球の自然放射線が、かつては現在の数百倍もあったことも知っています。その放射線が、それぞれの同位元素ごとの半減期を繰り返し、低減していったわけです。また、アフリカのガボンでは、オクロ鉱山のウラン鉱石から、かつて堆積したウランが自然発火のような状態で勝手に核分裂を続けるようになり、少なくとも数百万年も稼働していたことが、突き止められました。つまり天然原子炉というわけです。地球上のすべての生物は、かつての放射能地獄を生き延びてきた種の子孫だということになる。

原子力についてちゃんと見ている人がいるのですが、二酸化炭素を出すということで石炭火力や石油火力が悪者扱いになったついでのように、原子力も排斥されるのはいかがなものでしょうか?

川口 その通り、すごくおかしな現象で、カーボンニュートラルが流行語になって以来、日本でもメディアも政治家も大絶賛ばかりです。専門家、電力会社、学者も政治家も、皆二〇五〇年にカーボンニュートラルを実現し、地球の温度を下げるなんて無理なことはわかっているはずです。ただ、これを言わないとお金が回ってこない。

だから、そういう意味で、今、行われているのはものすごい偏向報道だと思いますが、それ以外の報道がないので、一般の人は判断の仕様がありません。これは日本の経済を徹底的に破壊してしまうほど危険なことです。

豊田　朝日新聞だけ読んでいたら、風力と太陽パネルだけでやっていけそうに思えます。

川口　朝日新聞の原発批判も、ちっとも科学的でなくて、ただ嫌いなだけ。誰も国のことを考えず、お金に釣られて皆で同じ方向を向いて走っている。お金でなければイデオロギー。しかも、新聞も同じことをしているのですから世も末です。

政府は、再エネやカーボンニュートラルを言っている限り、メディアは応援してくれるし、国民受けもいい。しかし、実際には、政府の意向で、特定の産業にお金を回し、特定の産業を干上がらせるわけで、この構図は悪名高き計画経済そのものです。しかも、その原資になっているのが再エネ賦課金で、国民の月々の電気代に乗っているのですから、さらに罪深い。

実は、これはドイツを真似たものなのですよ。ドイツで緑の党が、再エネの経費は月々アイスクリーム一個分と言い、それを真似た当時の民主党が、コーヒー一杯分といった。高いコーヒー代になったものです。

将来はやはりドイツと同じく、カーボンプライシングと言って、出したCO_2に応じて課金されることになるでしょう。炭素税などと呼んでいますが実は、CO_2を出した人への罰金のようなものです。日本も国が音頭を取り、地方自治体に目標値を定めて丸投げしています。全部補助金がらみですから断わる自治体はありません。「がんばります」と言ったらお金が回ってくるので言ったほうが得。でも、当事者は誰も本当にできるとは思っていない。ひどい政治です。

大気汚染の問題が脱炭素にすり替えられた

豊田　炭素の問題は世界中を見ても誤解がありました。私は一九七〇年代にエイモリー・ロビンスという環境運動家と対談しましたが、そのころ問題視されていたのは地球温暖化ではなく、大気汚染でした。彼はソフトエネルギー・パスを唱えていて、原子力、石炭、石油、天然ガスなどのハードエネルギーを排して、ソフトエネルギー（今の再生可能エネルギー）への小さな道（パス）を切り開こうというものでした。ソフトエネルギーもやらないといけないという。これ自体は、きわめて正論です。そのうえで、現在の状態を続ければ、どういう根拠か知りませんが、二十分に一基の原発を建設しても間に合わない暗黒の未来が到来すると説くものでした。つまり、ロビンスは、ハードエネルギーは、化石燃料ばかりでなく、原子力も抱き合わせのように否定します。私は、ハードもソフトも、巧く混ぜ合わせて、やらなければならないと主張し、かれと議論になりました。欧米の人には、良くあるタイプなのでしょうが、反ハードエネルギーの十字軍のような発想なのです。現在の再エネを、先取りした先見性は、確かに認めますが、ロビンスの時代には、まだなかったカーボンニュートラルという錦の御旗を手に入れて、現在に至っている。

当時はたしかにソフトエネルギーはなおざりにされていて、今のように再エネが主といったことではなかったのです。

私は一〇〇万キロワットの石炭火力発電所を取材したことがあります。石炭火力というと、蒸気機関車のイメージで大きな石炭の塊を放り込んで燃やす光景を想像しますが、実際の石炭は完全な粉末で投入されます。ガソリンエンジンでいえば、燃料噴射のようなもので、石炭を完全燃焼させることによって、石炭火力の公害を最小限に抑える方法でやっています。

どなたかが、日本の石炭火力の実情を説明したところ、ドイツからすごい反発を受けて「石炭火力を是認するような言い方はけしからん」と。しかし、ポーランドは九〇パーセント、中国は七〇パーセントを石炭火力に依存しています。アフリカ諸国のなかには、煮炊きに木材を使っている国も少なくありません。そういう国がテイクオフする際、まず石炭火力からというケースもありうる。地球温暖化という大テーマをもち出す前にその国なりの排ガスの環境対策を打ち出すべきで、一切をすっ飛ばして再エネしかないというのはおかしな話です。大気汚染の問題がいつの間にか地球温暖化の問題にすり替わってしまったことは覚えておいたほうがいいです。

川口　すり替えた上で「この十年でちゃんと行動しないと地球が滅ぶ」と言っています。滅びるはずがないのにそれを信じている人たちがたくさんいて、ドイツではそういう教育をしています。科学からずいぶん離れています。

いまだアフリカなどでは電気のないところがいっぱいあって、これから電気を増やして

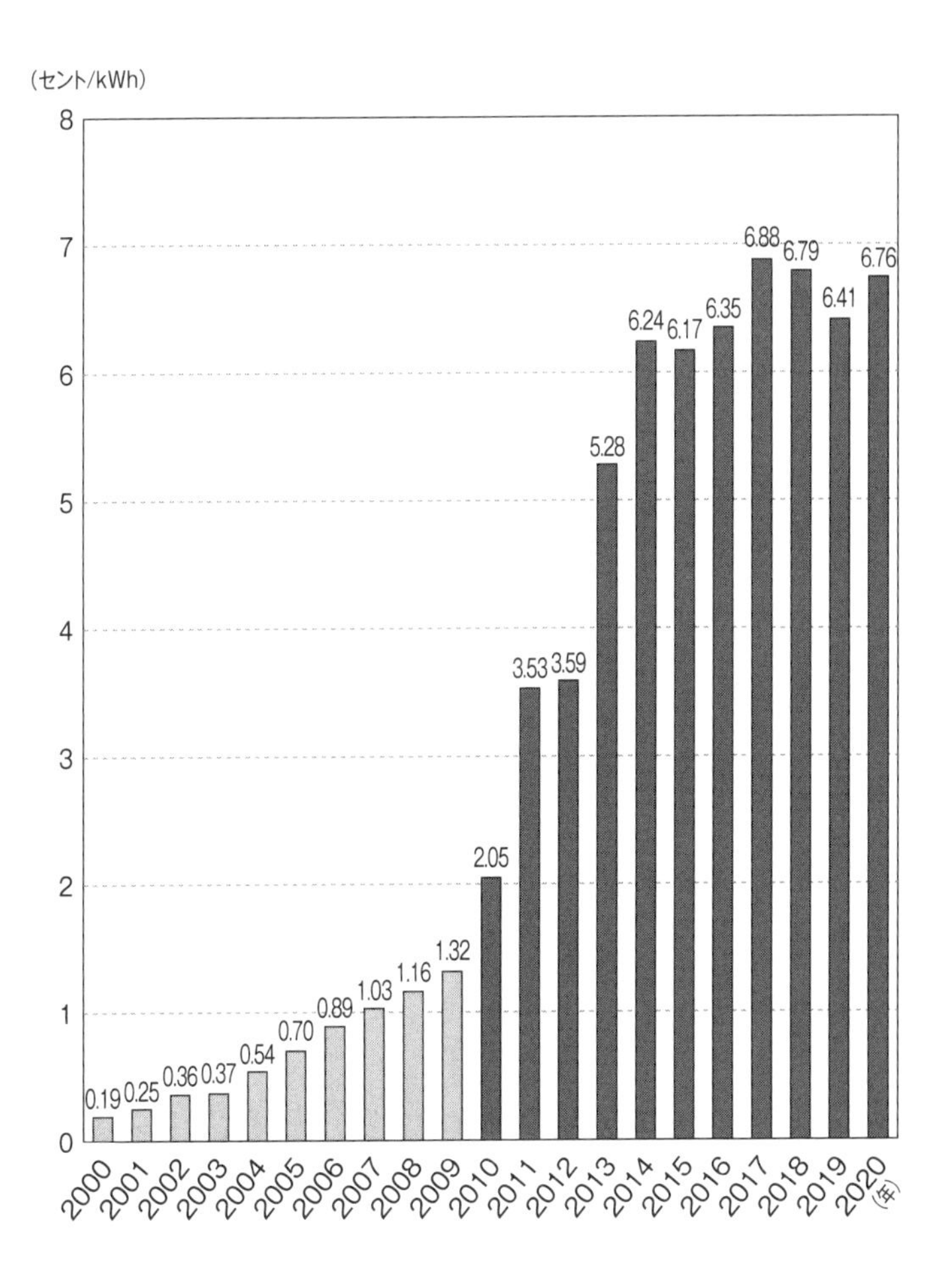

出典：Entwicklung der EEG-Umlage nach Angaben des BMWi (Daten bis 2009) und der Übertragungsnetzbetreiber (ab 2010).

再エネ賦課金単価の推移

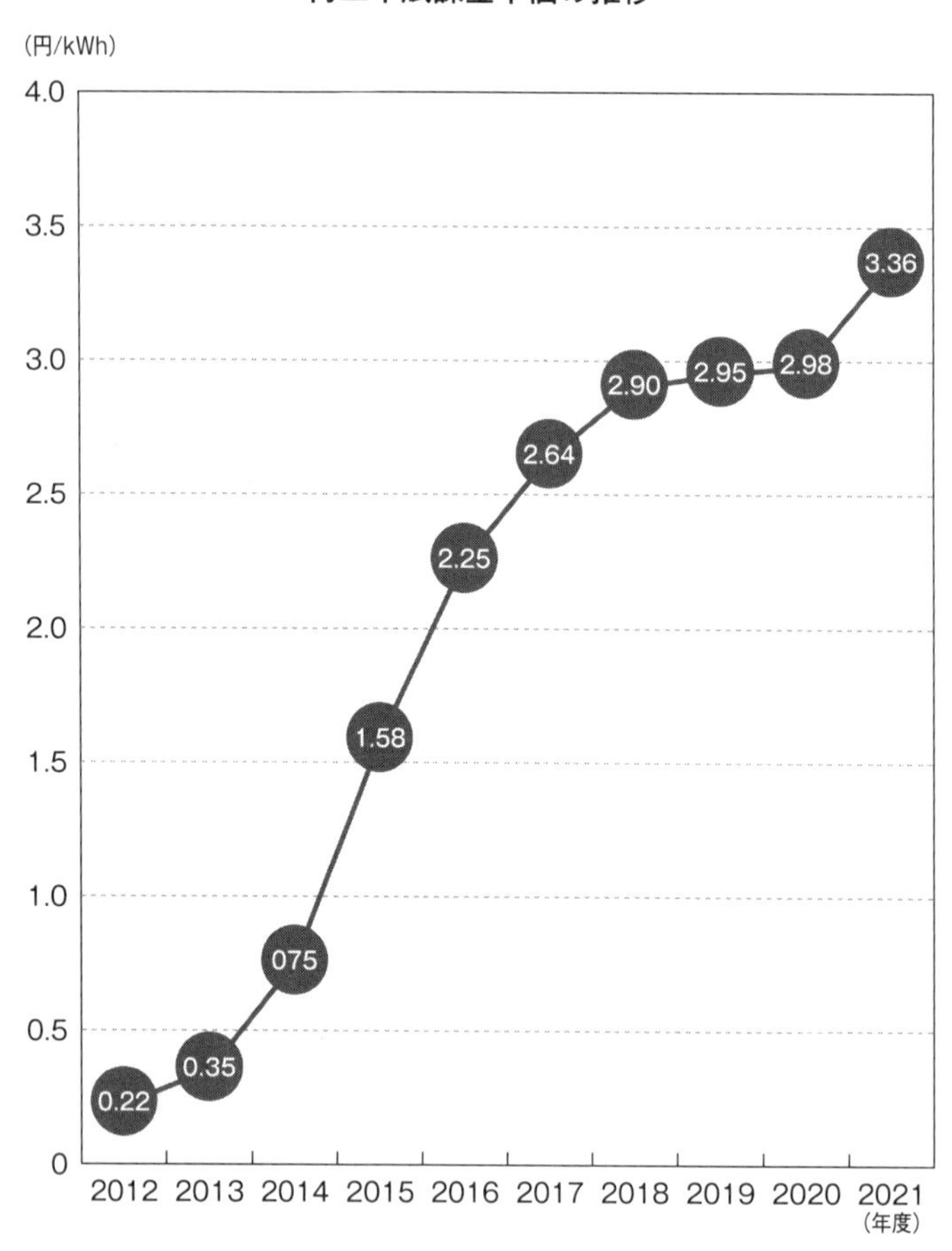

たとえば2021年度の場合、賦課金は3.36円/kWhとなり、一般的な家庭(1カ月あたりの電気使用量260kWh)では年間10,476円の負担となる。

出典：資源エネルギー庁

産業を発展させないといけないのに、そういう国に石炭火力プラントを建てるお金は出しませんよ、と言っているのがＥＵや日本なのです。本当に開発援助をするつもりなら、ハイテクの、あまり空気を汚さない安い石炭火力を発展途上国にたくさん造ってあげることが重要だと思います。

それに、ＥＵや日本が建てなくても、途上国は何が何でも石炭火力を手にしようとするはずですから、では、どこの国が建てるかというと、もちろん中国、そしてロシアです。カーボンニュートラルなど、世界的に見たら、なんの役にも立ちません。ついでに言えば、原発も中国とロシアが建てる。世界のエネルギーは、このままでは早晩中国とロシアに独占されます。

豊田　日本の原発をなくしても北朝鮮の核開発が止まるわけではなし、何々は敵、何々は味方と、変な十字軍意識に凝り固まってしまっています。原発はＣＯ$_2$を出さないわけですから、それを減らしてどうやってＣＯ$_2$を減らすのですかと、しごくまっとうな問いかけをする人がいないのです。

高額の電気代で目覚めたのでは遅い

豊田　大気汚染でいえば、日本は技術で克服しました。一時は四日市でぜんそくとか本当に酷かったですが、今は日本の空気はきれいです。で、「日本の技術、叡智を地球全体に役立てましょう」と言うと、「石炭火力を擁護するのか」という話になってしまいます。

川口　日本は島国だから空気をきれいにしようと思えばやりやすかったでしょうが、欧州はつながっていますからドイツだけがやろうとしても無理です。だからこそ日本の空気浄化の技術を世界に生かさない手はありません。

ところで、これからのドイツのことを予想しますと、炭素税でガソリンがどんどん高くなりますから、彼らもまもなく目が覚めると思います。緑の党は地球のことを「惑星」と言っていますが、きっと一般国民は、惑星を助けるためにガソリンを高くするなんて冗談じゃない、と言い出します。惑星のほうだって、人間に救ってもらうなんてちゃんちゃらおかしいと言うでしょう。

すでにドイツは再エネ賦課金が高いので、欧州で一番電気代が高くなってしまいました。ドイツの諸物価の水準からすると電気代だけが突出して高い。日本は、ドイツが方向転換をしたら、またその真似をするのでしょうか。

日本は「長い物に巻かれろ」式にカーボンニュートラルに舵を切りましたが、カーボンニュートラルなど国力を弱めるだけで何の国益にもならない。ＥＵの加盟国ではないのですから、それに気づけば救われる余地はあると思います。再エネが主力電源にならないことは冷静に考えれば自ずとわかることですが、メディアも政治家もそのことを言わず「可能だ、可能だ」とお題目のように口を揃えているのは噴飯物です。

あとがき

川口マーン惠美さんとの対談集の企画を持ち込まれ、正直いって私は、たいへん驚いた。長年、SF作家として、百冊を越える著書を上梓してきたが、老境に入った現在、小説の背景として調べたエネルギー、古生物学、古代史、韓国、比較文化論などの分野で、ため込んでおいた資料と分析を、いわばボケ防止のため、ほぼ年一冊くらいの割合で、ノンフィクションの形で切り売りしている。一方、川口さんのほうは、こちらも、評論誌への寄稿や原子力文化の連載など拝読して、令名を承知してはいたものの、現役ばりばりの売れっ子評論家である。彼女とのあいだに、何らかの接点が見つからない。

川口さんは、長年ドイツに居住し、ドイツ人と結婚され、ドイツと日本との単なる比較文化論にとどまらず、政治、経済、エネルギーなど広い分野で、日独を計りにかけて、するどい分析を加えておられる。私はと言えば、ドイツについては、まったくの素人であり、語るべきものを持たない。

それでも、何とか接点を探してみた。ＳＦ作家として、過去を舞台としても、近未来を描いても、アクション・シーンは欠かせない。ドイツの兵器は、何度も小説に登場させてみた。タミヤのプラモデルでは、六号戦車（通称ティーゲル）はもちろん、ケッテンクラート、シュヴィムワーゲン、八八ミリ砲など、ほとんどの兵器を作ったことがある。背景画を立てて、戦車やキューベルワーゲン、兵士などのプラモデルを配置し、レイアウトして写真に撮る趣味に没頭したこともある。

ドイツとの接点は、我が家にもあった。姉たちは、ドイツ歌曲をピアノで弾いていた。私は私で、子供のころから、年齢の離れた兄が歌う歌をまねしていた。「ドッチャン、ドッチャン、イーバー・アッレス」と意味もわからずに歌っていた最初の部分「ドッチャン」が、「ドイチュラント」だと知ったのは、中学生になってからだった。つまり、ドイツの旧国歌だったのだ。私が卒業した武蔵高校は、暁星高校のフランス語のように、高校からドイツ語を第二外国語として教えてくれた。ドイツ語で大学受験をしようという学生も、少なくなかった。今も、謎なのだが、ドイツ語の先生が言ったことが、記憶に残っている。ドイツ人と日本人の苗字は、世界一よく似ているというのだ。ジョークとして言われたのか、なにか言語学的な根拠があるのか、今もって謎のままだ。確かに石川（シュタインバッハ）、村山（ドルフベルガー）、鍛冶（シュミット）など、意味が似ている苗字が多い。

SF作家となってからは、「命の泉（レーベンスボルン）」をテーマにした長編を書いたことがある。「命の泉」とは、ナチスが、アーリア人種の未婚の男女にセックスさせ、生まれた子を国家で育てようとした計画である。ナチスは、六百万人の「鉄の戦士（アイゼン・ケンプファー）」を生み出すと豪語したものだが、これを超能力者の誕生施設と解釈し、長編SFに仕立てあげたのである。

確かにドイツには、興味があった。しかし、多くを知るようになると、だんだん熱が冷めていった。こんな私に、川口さんの対談の相手が務まるか、大いに疑問だったが、川口さんの書かれたものを読むうちに、しだいに引き込まれていった。「原子力文化」の連載など、読み直してみると、「そうだ、そうだ！」とか、「よくぞ、言ってくれた！」とか、「うーん、こういう角度から論評すれば、良かったのか」などと、膝を叩いて感心したものである。だんだん、川口さんに、同志的な連帯感を覚えるようになった。川口さんはドイツを他山の石として、国防、エネルギー問題などを論評しておられるが、アプローチの方法は異なるものの、私が長年にわたって追いかけてきたテーマと重なるのである。

私も、SF作家として、未来をシミュレーションして、小説の背景に使うことが少なくない。未来エネルギーとしては、私が所属する日本SF作家クラブの仲間たちと、一九六二年、東海村の原研を訪れたのが、原子力に興味を抱いたきっかけとなった。JRR-3という実証炉を見学したのだが、まだ商業用発電炉が一基も稼働していない時代だった。以後、大平内閣の政策諮問委員として、「科学技術の史的展開」グループで、エネルギー問題を担当し、日本中のすべての原発、ほとんどの関連施設を取材してまわることになった。私も理系崩れだから、以後、いわば原子力をかみ砕いて語る通訳のような役目を買ってでるようになる。一九八〇年、取材の結果をまとめ『原発の挑戦』を上梓したものの、私の小説の何分の一かしか売れなかった。見かねた編集者が、原発反対の本を書かないかとアドバイスする始末。怖いもの見たさの読者心理からか、明日にでも核爆発が起こりかねないとする本が、ベストセラーになっていたのだ。二〇一〇年には『日本の原発技術が世界を変える』を書き、それなりに評価されたのだが、三カ月後に三・一一の大地震、大津波が発生し、ネットでは炎上して、国賊、非国民扱いされる始末。しかし、私は、今も書いたことを撤回する積りはない。日本の原発技術は、あのときも今も、世界一の水準なのだ。

カーボンニュートラルは、今や反対を許さない十字軍のような域に達しているが、それを支える再エネのバックアップ電源としても、原子力に代わる方法は存在しない。また、原子力には、さらなる技術的な進歩が加わっている。日本は、世界に先駆けてＡＢＷＲ（改良型沸騰水炉）を稼働させているが、はるかに安全性が向上している。また、新たな炉型も登場している。高温ガス炉の構想が、実用化に向かっている。小型のモデルでは、冷却に水を用いないことから、熱が籠ることがなく、万一の場合も冷却が自然に進む。この際、きれいごとに乗せられ、原子力を捨て去ることは、将来、国家の破滅をもたらす原因となるにちがいない。

また、私は環境問題にも早くから興味を抱いていた。四日市喘息など、大気汚染が社会問題になっていたからだ。私が対談したエイモリー・ロビンスも、ハードエネルギーの乱用によって引き起こされる大気汚染を告発することから、ソフトエネルギーの小道（パス）という、もうひとつの方向（オルターナティヴ）を提案したのである。現在の再エネという構想の源で、先駆的な卓見である。ただ、惜しむらくは、ハードエネルギーには、憎悪に近い感情をむき出しにし、二十分間に一基の原発を稼働させても間に合わない暗黒の未来を描いて見せる。こうなると、予言者気取りのようで、ついていけなくなる。

中国の内モンゴル自治区の包頭（パオトウ）を訪れたときのことだ。コンビナート都市として有名だが、工場は黒煙を上げるわ、石炭を満載したトラックが行きかうわで、街中に立っているだけで、咳きこむほどの息苦しさだった。これほどの大気汚染を放置したままにして良いわけがない。大気汚染の防止という視点が、ＩＰＣＣ（気候変動に関する政府間パネル）の報告あたりから、やがて地球温暖化という大命題に変わってきたのである。

人類が現れてからの二百六十万年におよぶ更新世（こうしんせい）のほとんどは、氷河期だった。最後のヴュルム氷期のあとも、温暖化と寒冷化を繰り返してきた。弥生時代になっても日本の邪馬台国の時代は、小氷期に当たっていた。冷害で稲作が打撃を受けたため、人々は卑弥呼という呪術的女王にすがり、共立したとする学説もある。現代の温暖化は、確かである。しかし、あまりにも不確定な因子が多すぎて、どこまでが人為的なものか、確定する科学的な根拠はない。まもなく寒冷化するという学説もあるにはあるが、異端扱いになっている。ドイツや日本ばかりでなく、世界中が一方づいてしまい、異論を許さなくなるのは、危険なことだ。

しかし、化石燃料を全廃するという極端な趨勢が、支配的になっている。ドイツは、世界一のディーゼルエンジンの浄化技術を持っているが、それを捨て去るという。

我田引水のようだが、私の短編に『最後のＧＴ』がある。今から四十年も前に書いたものだが、ガソリン車が禁止されている近未来、カーマニアが密かにスポーツカーを隠し持っている。かれは、その愛車を、思い切り走らせたいと、かねがね考えているが、そんなことをすれば厳罰に処される。しかし、思いが募り、秘密の車庫から最後のGTを乗り出す。のろのろ走る電気自動車をしり目に、逮捕覚悟で颯爽と走るというストーリーである。

川口さんとの共通点のもう一つは、国防、安全保障である。日本もドイツも、平和ボケという点では、よく似ているという。ドイツは、かつて分断されていたころ、東ドイツと対峙する上で、徴兵制を敷き、国防に力を入れていたというが、現在は、そうでもないらしい。

日本も、おかしな国である。愛国心、国家の威信などを語ることは、ほぼタブーに等しい。オリンピック中止論が、マスコミの大勢を占めたことがあるが、あの時点で中止すれば、日本の国威が回復不能なくらい失墜するという視点が、まったく示されなかった。また、日本の長所を語るだけで、右翼扱いの要注意人物とみなされる。これに対して、中国の軍事研究には協力するが、日本の防衛研究は拒否するという、某学術会議なる団体が、日本政府の予算を得て、尊敬を集めている。これなど異様としか思えない現象だ。

こんな変な国だが、日本は、多くの外国から尊敬を集めている。バイク仲間だった若い友人テーオ・カーキネン君は、フィンランド人だが、日本生まれ日本育ちで、徴兵年齢になり、帰国して兵役についているあいだ、早く日本へ帰りたいと、悲鳴のような手紙をよこしたものだが、戦友たちからは、日本で生まれ育ったことを羨ましがられ、日本のことを話してくれと、引っ張りだこだったらしい。フィンランドと言えば、マンネルへイム元帥は、私が尊敬する偉人の一人である。あのソ連と戦いぬいて、国を守った英雄である。もちろん、小国フィンランドが、超大国ソ連に勝てるわけがない。その気になれば、圧勝できる。しかし、その場合、ソ連側にも膨大な犠牲が出る。ナチスとの戦いを控えて、とうとうソ連側が、フィンランドを屈服させることを諦めたのだ。なぜ、日本が、フィンランド、インド、トルコなど多くの国々から、尊敬を集めているのか。帝政ロシアに勝利し、国運を賭けてアメリカと戦い、多くの犠牲を払い、結果としてアジアの多くの国々を植民地から解放したからだ。今の日本に欠けているもの、それは先人の叡智と気概である。先人の気概に学ばず、このまま温室の中で安逸をむさぼっていれば、日本は滅びる。

この対談を上梓するにあたって、構成の水無瀬尚氏、編集のビジネス社佐藤春生氏から、多大な協力をいただきました。また、川口マーン惠美氏には、ドイツに関してド素人の私に、多くのご教示を賜りました。皆様に感謝の意を表したいと思います。

令和三年九月一日　蔵王の山小屋にて、

豊田有恒

日本とドイツ関連略年表

１８６１年	日・プロイセン修好通商条約締結
１８６８年	明治維新
１８７１年	ドイツ帝国成立
１９１４年	第一次世界大戦（～１９１８）
１９１８年	ドイツ革命、ワイマール共和国成立
１９１９年	ドイツ、ベルサイユ条約に調印（過酷な賠償支払いを課せられる）
１９２２年	ドイツソ連承認
１９２５年	日本ソ連承認
１９３１年	満洲事変
１９３２年	7月：ナチス第一党
１９３３年	1月：ヒンデンブルク大統領、ヒトラーを首相に任命。全権委任法 3月：日本国際連盟脱退 10月：ドイツ、国際連盟・軍縮会議脱退
１９３９年	8月：独ソ不可侵条約調印 9月：ポーランド侵攻開始。イギリス＝フランス、対ドイツ宣戦（第二次世界大戦勃発）
１９４０年	9月：日独伊三国軍事同盟
１９４１年	6月：独ソ戦始まる 12月：ドイツ、イタリア・ハンガリーとアメリカに宣戦 12月：日本軍、真珠湾攻撃（大東亜戦争）
１９４２年	ドイツ軍、アウシュヴィッツなどでユダヤ人大量虐殺
１９４５年	5月：ドイツ無条件降伏。ドイツ東西に分裂 7月：ポツダム会議 8月：広島・長崎に原爆投下。ソ連対日参戦。日本、ポツダム宣言受諾 9月：第二次世界大戦終結 10月：国際連合成立 11月：ニュルンベルク裁判
１９４６年	4月：（東独）ドイツ社会主義統一党（ＳＥＤ）結成 5月：東京裁判
１９４９年	5月：（西独）憲法制定会議、基本法を可決。ドイツ連邦共和国成立（臨時首都ボン）。ホイス大統領就任 5月：（東独）ニューヨーク協定によって、ベルリン封鎖解除 9月：キリスト教民主同盟（ＣＤＵ）のアデナウアー内閣成立

1950年	10月：民主共和国憲法発布、ドイツ民主共和国成立。ピーク大統領就任。グローテヴォール内閣成立 朝鮮戦争（〜1953）。警察予備隊を組織（54年に自衛隊設置）
1954年	ソ連、東独の主権承認を発表 10月：（西独）パリ協定に調印
1955年	5月：（西独）パリ協定に基づき、主権回復。再軍備開始。NATOに加盟。 9月：ハルシュタインドクトリン発表（東独承認国との国交断絶） （東独）ワルシャワ条約機構に加盟 （オーストリア）主権回復、永世中立
1961年	8月：（東独）ベルリンの壁構築
1964年	東京オリンピック開催
1965年	ベトナム戦争（〜1975） 5月：（西独）イスラエルと国交樹立
1973年	ドイツ民主共和国（東独）と外交関係樹立
1989年	12月：米ソ首脳が冷戦終結を宣言
1990年	東西ドイツ統一
1991年	湾岸戦争
1992年	日本、国連平和維持活動（PKO）協力法成立
1993年	天皇皇后両陛下御訪独
1997年	ヘルツォーク大統領訪日
2001年	9月11日：米国で同時多発テロ。アフガニスタン戦争、ドイツ軍アフガン派兵（2021年撤退）
2002年	ラウ大統領訪日
2003年	イラク戦争
2005年	ドイツ移民法施行。ケーラー大統領訪日
2007年	メルケル首相訪日（以降、首相として4回の訪日）
2011年	シリア内戦（以降、欧州に難民が殺到） 3月11日：東日本大震災。東京電力福島第一原発事故 5月：ドイツ22年までに脱原発を決定
2016年	米トランプ大統領誕生（以降、米中対立が加速）
2019年	9月：ドイツ気候保護法を成立
2020年	中国武漢発の新型コロナウイルス発生でパンデミック
2021年	8月：2度目の東京オリンピック開催 9月：米アフガン撤退

著者略歴

豊田有恒（とよた・ありつね）

1938年、群馬県生まれ。島根県立大学名誉教授。

若くしてアニメ脚本家として「エイトマン」「鉄腕アトム」「スーパージェッター」などで活躍。多くのSF小説の他、歴史小説や社会評論などでも、ユニークな視点を提示し、特に古代日本を東アジア史のなかで解明する手法は、多大な読者の共感を呼んだ。ノンフィクション作品に『一線を越えた韓国の「反日」』（ビジネス社）、『韓国が漢字を復活できない理由』『統一朝鮮が日本に襲いかかる』（以上、祥伝社）『歴史から消された邪馬台国の謎』（青春出版社）、『日本アニメ誕生』（勉誠出版）など多数。

川口マーン恵美（かわぐち・まーん・えみ）

作家、ドイツ・ライプツィヒ在住。日本大学芸術学部卒業後、渡独。1985年、シュトゥットガルト国立音楽大学大学院ピアノ科卒業。2016年、『ドイツの脱原発がよくわかる本』（草思社）で第36回エネルギーフォーラム賞・普及啓発賞、2018年に『復興の日本人論 誰も書かなかった福島』（グッドブックス）で第38回の同賞特別賞を受賞。その他、『無邪気な日本人よ、白昼夢から目覚めよ』（ワック）、『メルケル 仮面の裏側』（PHP新書）、『移民・難民 ドイツ・ヨーロッパの現実 2011-2019』（グッドブックス）、『そしてドイツは理想を見失った』（角川新書）など著書多数。

ドイツ見習え論が日本を滅ぼす

2021年10月1日　第1版発行

著　者　豊田 有恒　川口マーン 惠美
発行人　唐津 隆
発行所　株式会社ビジネス社
〒162-0805　東京都新宿区矢来町114番地　神楽坂高橋ビル5階
電話　03(5227)1602（代表）
FAX　03(5227)1603
http://www.business-sha.co.jp

印刷・製本　株式会社光邦
カバーデザイン　中村聡
本文組版　メディアネット
営業担当　山口健志
編集担当　水無瀬尚

ISBN978-4-8284-2327-2